Book 1

Elementary Japanese through Practical Tasks

Nihongo Daijobu!

きょうから話せる！にほんごだいじょうぶ

サンアカデミー日本語センター
Sun Academy NIHONGO Center

CD-ROM

[Teacher's Guide
教師用ガイド]

The Japan Times

Compiled by: Sun Academy NIHONGO Center
Written by: Akiko Kajikawa
Assistance: Tomoko Nagasawa / Junko Yoshikawa

編者：　サンアカデミー日本語センター
執筆：　梶川明子
協力：　長澤朋子／吉川順子

Copyright © 2015 by Sun Academy NIHONGO Center.

All rights reserved. No part of this publication may be reproduced, stored in a retrieval system, or transmitted in any form or by any means, electronic, mechanical, photocopying, recording, or otherwise, without the prior written permission of the publisher.

First edition: April 2015

Illustrations: Atsushi Shimazu (Pesco Paint)
Layout, typesetting and cover art: Hirohisa Shimizu (Pesco Paint)
Printing: Tosho Printing Co., Ltd.

Published by The Japan Times, Ltd.
5-4, Shibaura 4-chome, Minato-ku, Tokyo 108-0023, Japan
Phone: 03-3453-2013
Website: http://bookclub.japantimes.co.jp/

ISBN978-4-7890-1590-5

Printed in Japan

もくじ

この教師用ガイドについて ……………………………………… 004

Part 1　『にほんご だいじょうぶ』について　007

1　『にほんご だいじょうぶ Book 1』の内容構成 …………… 008
2　『にほんご だいじょうぶ Book 1』のカリキュラム例 …… 009
3　『にほんご だいじょうぶ』の考え方 ……………………… 010
- 言語学習で何を重視するか
- 初級学習者に必要な 2 つの日本語
- コミュニケーションをどうやって積み上げるか
- 学習者の自然な気持ちの流れと満足度を重視

4　『にほんご だいじょうぶ』のタスクと使い方 …………… 013
1. 3 ステップのタスク
2. 新しい形の発音練習
3. 文法知識の整理
4. 別冊の使い方
5. 「かなカナドリル」の活用

Part 2　各ユニットの進め方　017

Unit 1	018	Unit 7	075
Unit 2	030	Unit 8	084
Unit 3	039	Unit 9	089
Unit 4	047	Unit 10	098
Unit 5	056	Unit 11	104
Unit 6	064	Unit 12	112

Part 3　巻末資料　123

文法 (Grammar) 全訳 ……………………………………… 124
「すぐに使えるカードデータ」一覧 ……………………… 133

● 付属 CD-ROM　すぐに使えるカードデータ

この教師用ガイドについて

　この教師用ガイドは、『にほんご だいじょうぶ Book 1』を使って教える先生方が、より楽しく効率的に授業を進めていけるよう、各タスクのねらいや意図、ユニット全体の流れ、具体的なクラスでの展開例などについて、テキストの順番に沿って説明しています。ふだん私たちが実践しているノウハウを数多く盛り込みました。授業の準備に活用してください。

本書の全体構成

Part 1 『にほんご だいじょうぶ』について
　教材の構成、コンセプト、特徴的なタスクの種類について解説してあります。とくにこの教材のコンセプトである「コミュニケーション積み上げ型学習」について重点的に説明しました。『にほんごだいじょうぶ』で教える際にぜひ押さえてほしい考え方です。

Part 2 各ユニットの進め方
＊ テキストのすべてのタスクについて、ねらいや注意点だけでなく、できるだけ具体的な教師と学習者のやりとりを挙げながら説明しています。新しいユニットを始める前に、ユニット内のタスクの説明をまとめて読んでおき、ユニット全体の流れをつかむようにしてください。

＊ 各ユニットの説明の最後に、「ユニットの流れ」としてユニット全体が俯瞰できる表があります。

Part 3 巻末資料
＊ 文法全訳：テキストの「Grammar」(英文) の日本語訳を、全ユニット分まとめて掲載しました。
＊「すぐに使えるカードデータ」一覧：本書付属の CD-ROM に収録した全カードを一覧できます。

付属 CD-ROM すぐに使えるカードデータ
　テキストの本冊と別冊にあるイラストや単語・表現を、絵カードやことばカードとして PDF で提供します。総カード数は約 640 枚。A4 や A3 の用紙にプリントアウトして、そのまま教室で使えます。カードの内容は、本書巻末の一覧で確認できます。

各ユニットの進め方

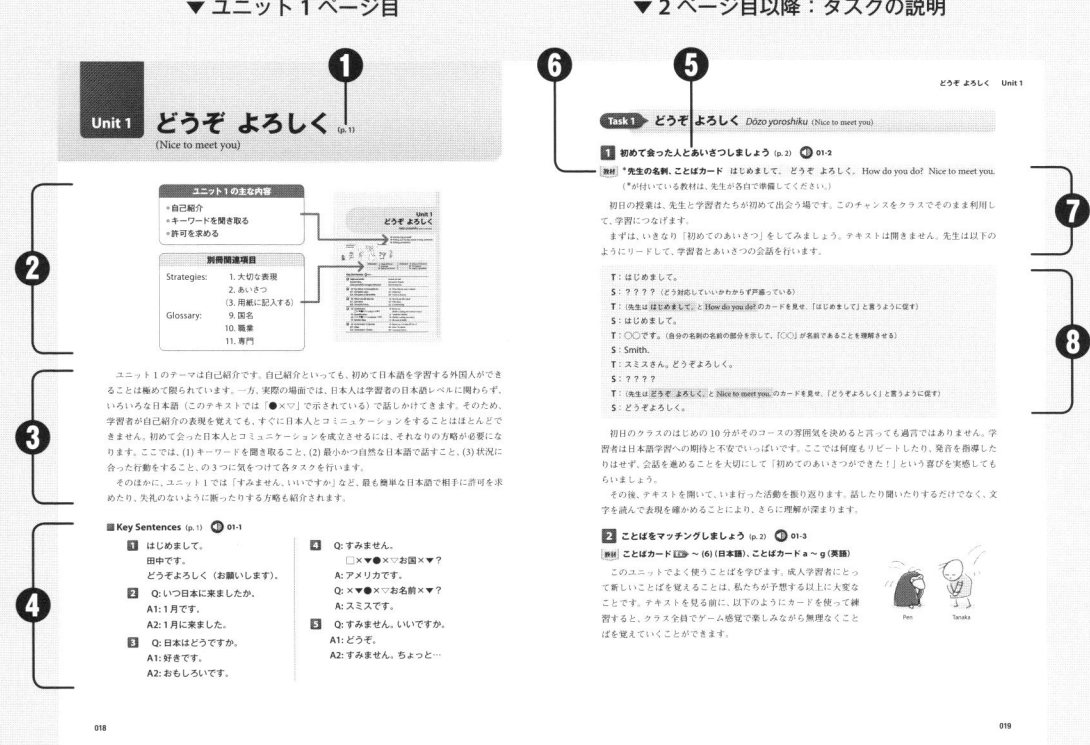

▼ ユニット1ページ目　　　　　　　▼ 2ページ目以降：タスクの説明

❶ テキスト本冊のページ数
❷ ユニットの主な学習項目と別冊関連項目の日本語訳
❸ ユニットの目的と先生の心がまえを解説。授業を進める際の指針になる。
❹ テキストの Key Sentences を漢字仮名まじり文にしたもの。

❺ 各タスクの指示文（英文）の日本語訳。掲載ページ数も表示。
❻「教材」にはそのタスクで使う教材を示した。＊が付いていないものは、付属 CD-ROM に入っているカード類。＊が付いているものは CD-ROM にないので、先生が準備する必要があるもの。
❼ すべてのタスクについて順番に、進め方や注意点を解説。授業にすぐに生かせるよう、できるだけ具体的に説明してある。
❽ 説明の中には、クラスでの先生と学習者の会話例を掲載した。先生の動作や学習者の反応なども（　　）内に詳しく示してあるので、授業展開をイメージしやすい。特に **Tryout**（学習者に実際に体験させる活動）のタスクは、会話例の「T（先生）」の部分をそのまま使ってみるとよい。

005

各ユニットの進め方　　巻末資料

▼ ユニット最終ページ「ユニットの流れ」　　　▼ 文法全訳

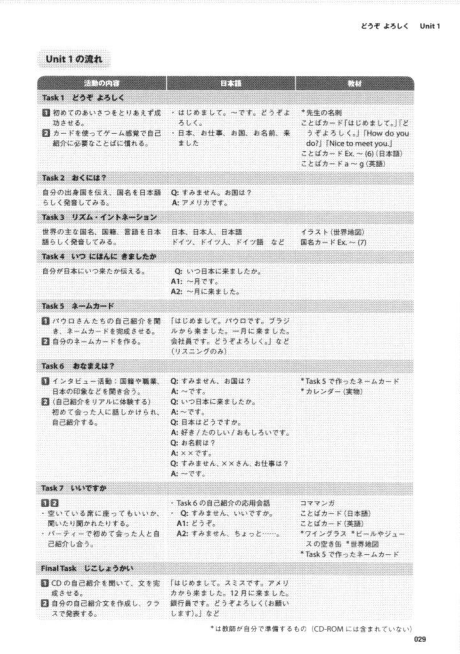

❾ ユニットの最終ページには、各タスクの内容とそこで必要になる日本語、および教材をまとめた一覧表を掲載した。ユニット内のタスクの流れ全体がひと目でわかる。

❿ 巻末資料の「文法全訳」には、すべてのユニットの「Grammar」全文の日本語訳を掲載。

付属 CD-ROM：すぐに使えるカードデータ

付属の CD-ROM には、テキストの本冊・別冊にあるイラストや単語・表現を拡大してカード形式にし、PDF ファイルで収録しました。授業の前にプリントアウトして準備しておき、タスク活動に有効に活用しましょう。詳しい使い方は、本書の中で説明されています。全カードの内容は、巻末の「すぐに使えるカードデータ一覧」で確認できます。

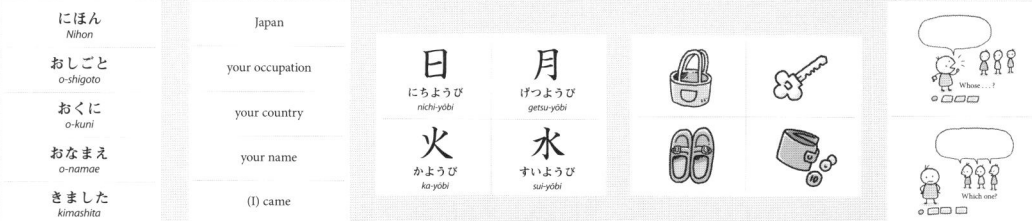

Part 1

『にほんご だいじょうぶ』について

1. 『にほんご だいじょうぶ Book 1』の内容構成
2. 『にほんご だいじょうぶ Book 1』のカリキュラム例
3. 『にほんご だいじょうぶ』の考え方
4. 『にほんご だいじょうぶ』のタスクと使い方

1 『にほんご だいじょうぶ Book 1』の内容構成

『にほんご だいじょうぶ』はBook 1とBook 2で初級日本語の主要部分を学習します。

▶Book 1の内容構成
（テキストp. viii「1『にほんご だいじょうぶ Book 1』の構成」も合わせて参照してください。）

　Book 1では、①日常の様々な場面でその時点での日本語力で対応できる方略を身に付ける、②自分の身のまわりのことについてある程度説明できるようになる、③日本語の基本文法（名詞文、動詞文、形容詞文）の知識がきちんと身に付く、の3つを目指します。全12ユニットで、学習語彙数は約500語、授業時間は最短で24時間を想定しています。

　Book 1は、**本冊のユニット1〜12**が主要部分で、「タスク」を通して学習を進めていきます。本冊にはその他に、ひらがなとカタカナの読み書きを学ぶ練習帳「**かなカナドリル**」と、**Scripts**（CDのスクリプト）、**Index**（単語さくいん）、**Answers**（ドリルの解答）があります。

　本冊の学習内容を補完する**別冊**には、生活場面別ストラテジー集の**Strategies**（ストラテジー）とカテゴリー別単語集の**Glossary**（グロサリー）があります。また、本冊・別冊で 🔊 マーク付きの部分は、**付属のMP3 CD**にMP3ファイル形式で音声が収録されています。

（本冊）

（別冊）

（付属MP3 CD）

▶各ユニットの構成
　1つのユニットには、以下の4つの主要セクションがあります。

① Key Sentences（キーセンテンス）
　各ユニットのはじめに、そのユニットで学ぶ重要文型を挙げています。タスクに入る前にまずこの部分をクラスで一緒に読んで、学習項目を把握します。ここでは、そのユニットでどんなことを学ぶか、どんな日本語が話せるようになるのかを学習者が知ることが目的なので、繰り返し練習する必要はありません。CDでは各文の後に英訳が聞こえてくるので、復習にも便利です。

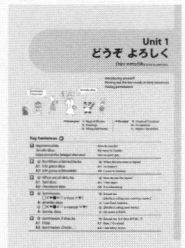
（テキストp. 1）

② Task（タスク）
　ユニットの主要部分で、各ユニットに5〜8つのタスクがあります。日本語を使って実際に何かをすることを通して、コミュニケーション力を身に付けます。タスクは認知的に徐々に難しくなるように配列され、短くシンプルな日本語から長い文レベルの日本語へと、無理なくコミュニケーションを積み上げていくことができます。最後のFinal Taskでは、自分のことをクラスで発表するか、実際に近い状況で会話を行い、各ユニットの学習を仕上げます。

③ Grammar（文法）

タスクの後に、ユニットの活動で使った文法をまとめてあります。言語学習に不慣れな学習者でも短時間で理解できるよう、抽象的な説明や用語は避け、簡潔な説明と具体的な例文で説明しました。タスクの途中で文法説明が必要になったときも、ここを読んでまたすぐにコミュニケーション活動に戻ることができます。

（テキスト p. 11）

④ Vocabulary（単語リスト）

各ユニットの最後に、タスクで使う新しい単語と表現のリストがあります。品詞ごとに分類し、英訳を付けました。左列にある小さい記号は、その単語や表現の初出箇所を示します。（W = Words for This Unit / T1 = Task 1 / FT = Final Task）

（テキスト p. 13）

2 『にほんご だいじょうぶ Book 1』のカリキュラム例

以下に、Book 1 のカリキュラム例をご紹介します。1～6人の少人数クラスに適したカリキュラムで、1.5時間のクラス8回＝12時間でUnit 6まで進めます。

	タスク	ストラテジー	かなカナドリル	宿題
1日目	Unit 1 どうぞよろしく (T1～FT) Unit 2 何ですか (T1)	1. 大切な表現	ひらがな (1)	Unit 1-FT 発表の準備
2日目	Unit 2 何ですか (T2～FT) Unit 3 何時ですか (T1)	2. あいさつ	ひらがな (2)	Unit 3-T1 数字1～12を練習してくる
3日目	Unit 3 何時ですか (T2～FT) Unit 4 買い物 (W/T1)	5. 自転車に乗る	ひらがな (3)	Unit 3-FT 発表の準備
4日目	Unit 4 買い物 (T2～FT)	10. 買い物	ひらがな (4)	Unit 4-T3 4 CD Simulation の復習
5日目	Unit 5 沖縄に行きます (W～T3)	6. 電車に乗る	ひらがな (5)	Unit 5-T3 「リズム・イントネーション」を練習してくる
6日目	Unit 5 沖縄に行きます (T4～FT)		ひらがな (6)	Unit 5-FT 発表の準備
7日目	Unit 6 電話 (T1～T3 W)	8. タクシーに乗る	ひらがな (7)	Unit 6-T2 4 CD Simulation の復習
8日目	Unit 6 電話 (T3 1～FT) Unit 1～Unit 6 の復習		ひらがな (8)	Unit 6 Self-check

W: Words for This Unit / T1: Task1 / FT: Final Task

前半4日間（6時間）でユニット4まで進め、後半4日間（6時間）でユニット5〜6と復習を行います。1コマ1.5時間の時間配分は、タスク1時間、ストラテジー10〜15分、宿題の発表・フィードバックとひらがなで10〜15分の見当です。各ユニットの文法と単語リストを読んでくることを予習にすると、よりスムーズに進めることができますが、『だいじょうぶ』の文法説明は簡潔なので、必要になったときにクラスで読んでもかまいません。宿題は主に、Final Taskの発表の準備や次のクラスで再度行う学習項目の復習、かなカナドリルのワークシートの残りなどです。

なお、この例は、クラスサイズが小さい場合の最短カリキュラムです。人数の多い場合はフィードバックなどに時間がかるので、1ユニットにつき1.5〜2倍の時間を見ておくといいでしょう。

3 『にほんご だいじょうぶ』の考え方 —「コミュニケーション積み上げ型学習」

■ 言語学習で何を重視するか

言語学習でよく話題になるテーマに、言語形式を重視するか、意味に注目して実際の使用を重視するか、というものがあります。言語形式に焦点をあてた学習方法では、やさしい文から複雑な文へ段階的に学習を進めていくため、実際場面でなかなか日本語が使えるようになりませんが、将来的に高い言語レベルに到達することができます。一方、実際使用を重視した場合は、文の難易度に関係なく使用頻度の高いものを優先するため、覚えた表現は早い時期から実際に使えるようになりますが、そこから発展して高度な言語レベルに到達するのは難しいと言われています。

このように両者にはそれぞれ短所と長所があり、世界の言語教育はこの2つの学習方法論の間で常に振り子のように揺れてきたと言っていいでしょう。

『にほんご だいじょうぶ』は、こうした両者の短所を排し、長所を生かした新しい学習法として「コミュニケーション積み上げ型学習」を提案します。この学習方法によって、コミュニケーション力と文法力を無理なく同時に伸ばすことを目指します。

■ 初級学習者に必要な2つの日本語

初級学習者が必要とする日本語には、大きく分けて2種類あります。ひとつは「電車に乗る」「レストランで注文する」などのいわゆる**生活場面での課題をクリアするための日本語**、もうひとつは身近なできごとや趣味・家族などについて話すことで**周りの日本人と交流を深めるための日本語**です。この2つは、言葉を使う目的や相手、場面などのコミュニケーション環境が大きく異なります。

前者では、例えば店員や駅員などの見知らぬ人から情報を聞き出すというように、ある目的を達成するために短い時間で正確に情報をやりとりする必要があります。このとき日本人が学習者の日本語レベルに合わせてわかりやすい日本語で話してくれる保証はどこにもありません。そのため、確実に情報を引き出すには、学習者側にそれなりの方略が必要になります。

一方、後者は、友だちや同僚と交流を深める目的で、ある程度時間の余裕があるときに行われることが多いでしょう。そこでは自分の身のまわりのことに関して話し合う日本語力が求められます。

『にほんご だいじょうぶ』は、この両者のコミュニケーション環境の違いに着目して、それぞれにふさわしい活動を用意しました。その結果、従来の初級の学習に比べ、より短期間でより実践的なコミュニケーション力を身に付けることができるようになりました。

3.『にほんご だいじょうぶ Book 1』の考え方

■『にほんご だいじょうぶ』の考え方

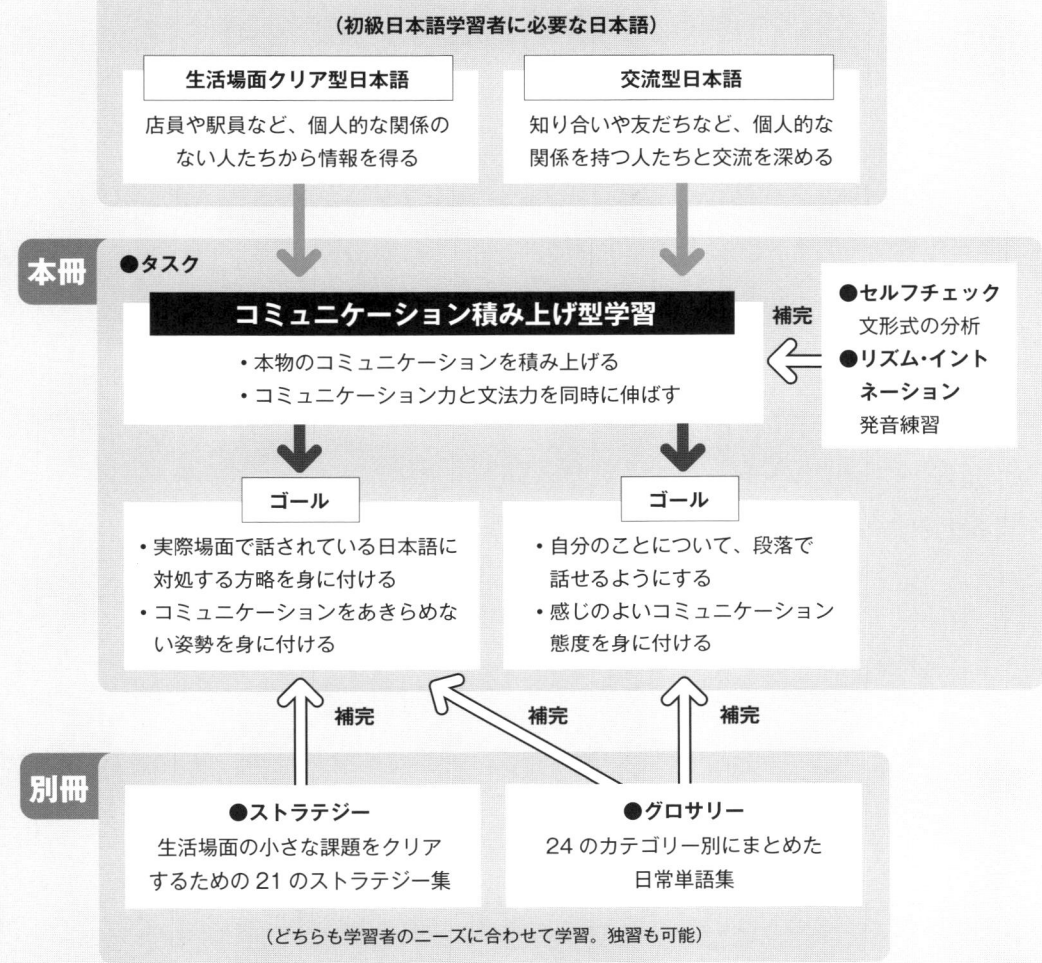

■コミュニケーションをどうやって積み上げるか

『にほんご だいじょうぶ』は**コミュニケーションを積み上げる**という**学習方法**によって、言語形式と実際使用のどちらを優先させるべきかというジレンマを解決し、コミュニケーション力と文法力を同時に身に付けることを目指しています。そのため、このテキストでは機械的な単純ドリルは行いません。ゲームをしたり、旅行プランや買い物リストを作成したり、自宅までの地図や育った町の絵をかいて説明するなど、どのユニットも初めから**日本語を使って実際に何かをする**活動を行います。『にほんご だいじょうぶ』ではこの活動を「**タスク**」と呼び、すべてこの「タスク」を通じて学習を進めていきます。

タスクを中心とした言語学習は、言語習得を約束するものとして注目されてきましたが、その一方で多くの問題点もまた指摘されてきました。例えば、タスクの定義が人によってまちまちであることや、タスクの難易度を決定づける基準が明確でないことなどです。特に後者は、教育現場でタスク中心のカリキュラムを実践する場合の障害となっていました。

これに対し『にほんご だいじょうぶ』は、各ユニットのタスクを、目の前のことについて話す「現場型」(here and now) のコミュニケーションから、今ここではないことについて話す「言語依存型」(there and then) のコミュニケーションへと、認知的な難しさを基準に配列しました。その結果、学習を進めるうちに、短くシンプルな日本語から長い文レベルの日本語へと、無理なくコミュニケーションを積み上げていくことができるようになりました。

例えばユニット9では、まず隣の学習者同士で持ち物をほめ合うことから始めます。このときに使われる日本語は、「きれいですね」「いいですね」のような単語レベルの日本語です。その後、いくつかのタスクを経て、最終タスクで「他の人の物をクラスの前で紹介し、ほめる」というプレゼンテーションを行うときは、「これはAさんのかばんです。Aさんはかばんをデパートで買いました。とてもきれいなかばんです。……」のような整った文形式（フルセンテンス）で段落単位の日本語になります。このように現場型コミュニケーションから言語依存型コミュニケーションへと抽象度を高めていくことによって、日本語も自ずと単語レベルから文レベル、段落レベルへと進み、正確さ複雑さが要求されるようになるわけです。

■学習者の自然な気持ちの流れと満足度を重視

『にほんご だいじょうぶ』でもうひとつ重視していることは、**学習者の意識の流れ**です。各ユニットは、導入のタスクから最終タスクまで、学習者の意識が終始一貫するように構成されています。例えば、ユニット5のテーマは「旅行のプラン」なので、学習者の意識は「どこかに行くこと」に置かれます。従来の文型重視の学習法では「行く・来る・帰る」を同時に学習するのが一般的ですが、『にほんご だいじょうぶ』では学習者の意識の流れが中断することを避けるために、「来る」「帰る」はタスクの中では扱いません。※

このように、タスクの流れが学習者の自然な意識の流れに即していれば、クラスでの活動をひとつのエピソードとして体験することができるため、学習した内容をしっかり記憶にとどめることができます。また、ひとつひとつのタスクがコミュニケーションとして完結しているので、学習者は各タスクが終わるたびに「コミュニケーションができた」という満足感を得ることもできます。

※「来る」「帰る」は、「行く」と同じカテゴリーに属する文型の要素として、ユニット5の「Self-check」で紹介される。

■ タスクの配列

4 『にほんご だいじょうぶ』のタスクと使い方

次に、『にほんご だいじょうぶ』のタスクについて、具体的にご説明します。

1. 3ステップのタスク ～実際場面を想定した活動から、分析、そして練習へ～

　教室の外では、クラスで学んだ日本語が使われる保証はどこにもありません。初級学習者が実際場面を乗り切るためには、日本語力だけでなく、コミュニケーションを成立させる方略と、自信（コミュニケーションをあきらめない態度）が必要になります。『にほんご だいじょうぶ』では多くのタスクで、以下の3つのステップを踏んでこの力を引き出します。

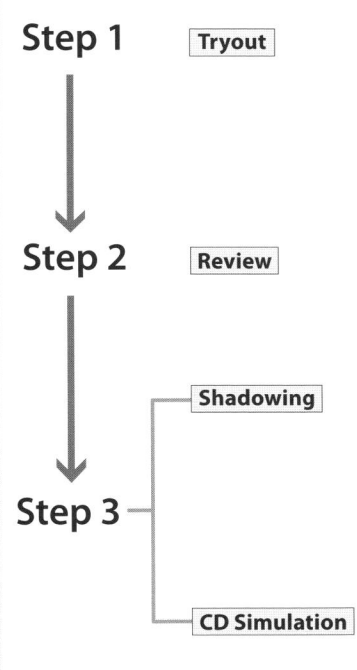

Step 1 [Tryout] 実際場面を想定した体験型の活動。学習者は教師のリードで、いきなり実際場面に限りなく近い状況をクラスで体験し、これをなんとか乗り越える。この体験を通して、日本語の意味を類推する力と、コミュニケーションをあきらめない態度を身に付ける。

Step 2 [Review] [Tryout] の体験を振り返る。自分がどんな日本語を使ってコミュニケーションを成功させたのか、会話文の空欄を埋めながら、分析的に確認する。

Step 3 [Shadowing] [Review] で確認した会話を今度はCDで聞き、学習者は [Review] の紙面を見ながら、CDに合わせて同時に発話する。実際の場面では、たとえ初級者でも、ある程度の速さで話すことが要求される。この練習を通して、自然な速さとリズム・イントネーションを身に付ける。

[CD Simulation] CDを相手に会話する。CDのせりふに続いて「ピー」と音が聞こえたら、学習者がポーズの間に応答のせりふを言う。実際の場面では、話しかけられたら何らかの対応をしなければならない。この練習を通して、どんな場面でもコミュニケーションをあきらめない態度や自信を身に付ける。

▶ Tryout（トライアウト）

　Tryoutで大切なことは、学習者が実際場面に限りなく近い状況を、いきなりクラスで体験することです。そのため、テキストにはこれから何が起きてどう対処すべきかという説明は一切なく、活動に必要になる新しいことばと、状況がイメージできるようなイラストや簡単な英文のヒントだけが示されます。

　先生は、学習者が新しいことばの意味を確認し状況を理解

（テキストp.8　ユニット1・Task 7）

したら、いきなり一般の日本人を演じ、学習者に話しかけます。日本人の会話内容はテキストのどこにも明示していないので、あらかじめCDの音声（Tryoutに続くShadowingやCD Simulationのタスクとして収録されている）を聞くか、このガイドで紹介しているクラスでの会話例を参照して、どういう会話の流れにするのか確認しておきます。

▶ **Review（レビュー）**

Reviewに書かれた会話の中の「●×△」のような表示は、日本人が普通に話している部分を意味します。この段階の学習者が日本人に普通の速度で話しかけられた場合、その日本語は「●×△」のようにしか聞こえないものだからです。ReviewではTryoutの体験を振り返って会話文を完成させながら、相手の話がわからなくても目的を達するための方略を確認します。

▶ **Shadowing（シャドーイング）とCD Simulation（CDシミュレーション）**

最後にShadowingまたはCD Simulationの練習を通して、日本語らしい発音や実際の会話のやりとりをあきらめない姿勢を身に付け、タスク活動を仕上げます。

Shadowingでは、Reviewで確認した会話のスクリプトやイラストを見ながら、CDの音声と同時に発話します。このとき、スピードやイントネーション、表情の出し方まで、できるだけCDに近づけることで、日本語らしい自然な発音を身に付けます。CD Simulationでは、CDがリードする会話のテンポについていきながら、自分のせりふを発話していきます。

どちらの練習もCDを使って独習できるので、クラスで練習してから宿題にすると、さらに効果的な学習が期待できます。

2. 新しい形の発音練習 ～「リズム・イントネーション」の練習と隠れた目的～

日本語らしい発音で話すことができれば、コミュニケーションを成功させる大きな助けになります。『にほんご だいじょうぶ』の発音練習「リズム・イントネーション」は、**単語ひとつひとつの発音ではなく、全体が日本語らしく聞こえるようになることを目指します**。

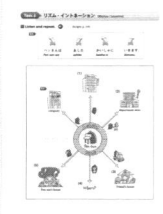
（テキスト p. 52）

ここでは、CDを流して一定のテンポを刻みながら、意味のまとまりを一息で言う練習を行います。例えば「ペンさんはきのう友だちのうちに行きました」という文の場合、意味のまとまりで一拍ごとに「ペンさんは／きのう／友だちのうちに／行きました」と言う練習をします。この段階の学習者が「友だちのうちに」をテンポに合わせて一息で発音するのは大変なチャレンジですが、繰り返し練習することによって、少しずつ滑らかに言えるようになるはずです。

また、この練習には実は、何度も繰り返し発音することによって、**ことばや文をそのままチャンク（まとまり）で覚える**という隠れた目的があります。ただの繰り返しは単純でつまらない練習になりがちですが、「リズムに合わせてきれいに言えるようにしよう」という目的を持って行えば、チャレンジになり、飽きることなく楽しく取り組むことができます。

3. 文法知識の整理 ～ Self-check ～

『にほんご だいじょうぶ』では、**文法はコミュニケーション力を促進するための重要な助けである**と考えています。たとえば、「行く／来る／帰る」は移動を表す動詞で、共に使われる助詞「に」は「場所＋に」の形で目的地を表す、という理屈を知っていれば、ことばを整理して覚えることができ、

また間違えたときに自分で修正できるからです。文法は、文の形や規則というだけでなく、それを説明する理屈であるということもできるでしょう。テキストでは必要に応じて、「Self-check」として、このような理屈を理解するためのページを設けました。Self-check の図を分析したり、図をもとに文を作ったりすることによって、自分のペースで理解を深めることができます。

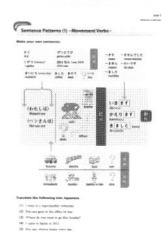

(テキスト p. 55)

4. 別冊の使い方

　Book 1 の別冊には、「Strategies」と「Glossary」として、テキストで扱う以外のいろいろな生活場面や語彙のバリエーションが収録されています。日常的に携帯していると便利です。

▶ Strategies（ストラテジー）

　別冊の前半部分「Strategies」は、日常の様々な場面を乗り越えられるように工夫した、**生活場面別のストラテジー集**です。Book 1 の本冊では、誰もが遭遇するであろう生活場面として、ゴミの分別、買い物、レストラン、電話、薬局、道に迷ったとき、を取り上げていますが、この他にも、銀行、郵便局、美容院、クリーニング店、タクシー、電車など、対処しなければならない生活場面は学習者によっていろいろあります。

　そこで、別冊の Strategies ではそのような場面を全部で 21 種類取り上げ、各場面で知っておくべき情報と、表現や会話例をまとめました。この中から学習者のニーズに合わせて必要な部分だけ学習しても、あるいは本冊に関連させて学習してもかまいません。本冊に関連させて学ぶ場合は、本冊の各ユニットの 1 ページめに関連箇所が記載してあるので、これを参照してください。音声が付いているので独習も可能です。

「Strategy 8: Riding a Taxi（タクシーに乗る）」学習例（学習時間 15 分）
タクシーで目的地へ行くストラテジーの練習

1 Catching a taxi（タクシーを拾う）
　英文の説明を読み、「日本人なら誰でも知っているが、外国人にとっては新しいタクシーの情報」を認識します。

2 Riding a taxi（タクシーに乗る）
　「Words & Phrases」（タクシーを利用する際に必要な表現）を読み、CD を聞いてリピートします。それから A・B に進みます。

　A 運転手に目的地を告げる
　　会話文を読みながら、CD を 1 回聞きます。次に自分のせりふの部分（You の会話部分）を CD と一緒に言ってみます。その際、行く先を伝えることに意識を集中させ、運転手が何を言っているのかはっきり理解できなくても気にしないようにします。

　B 目的地に近づき道順を詳しく伝える
　　絵を見ながら会話文を読んで意味を確認した後、CD に合わせて一緒に言ってみます。

　短時間でもこのような練習をしておくことで、学習者はタクシーを拾って目的地に到着するために必要なストラテジーが知ることができます。あとはぶっつけ本番で、実際場面にチャレンジすると

いうわけです。提示するストラテジーはどれも短くシンプルな日本語でやりとりしているので、初級の学習者でも確実に成功が期待できます。はじめのうちは、常に別冊を携帯していれば、なお安心でしょう。

▶ Glossary（グロサリー）

別冊の後半部分「Glossary」は、時間表現、国名、職業名、食べ物の名前など、24のカテゴリー別に**日常単語を集めた日本語の基本語彙集**です。合計で約 1,300 語を収録してあります。テキストの本冊では、各タスクに必要なことばはそのつど掲載されていますが、学習者ごとに必要な単語（出身国名、職業名など）が本冊だけで足りない場合は、ここを参照してください。自分の言いたい内容が的確に伝えられるようになります。

5.「かなカナドリル」の活用

テキストの後ろに、「かなカナドリル」として、ひらがなとカタカナのワークブックを収録しました。ひらがなは50音順に、カタカナははじめから単語が読めるようにいろいろな文字を組み合わせて、それぞれ読み方・書き方を4～5文字ずつ学習していきます（例えばカタカナ(1)では「ス・タ・ハ・バ・パ」を学んで「バス」「パスタ」「スーパー」などの身のまわりにあるカタカナ語がすぐに読めるようになっています）。

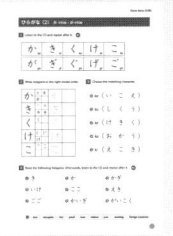

（かなカナドリル）

「かなカナドリル」は宿題としても使えるよう、ページの切り取りができ、また CD に音声が付いています。ひらがな・カタカナが必要かどうかは学習者によって異なるので、ニーズに応じて学習するといいでしょう。

Part 2
各ユニットの進め方

Unit 1 どうぞ よろしく (p. 1)
(Nice to meet you)

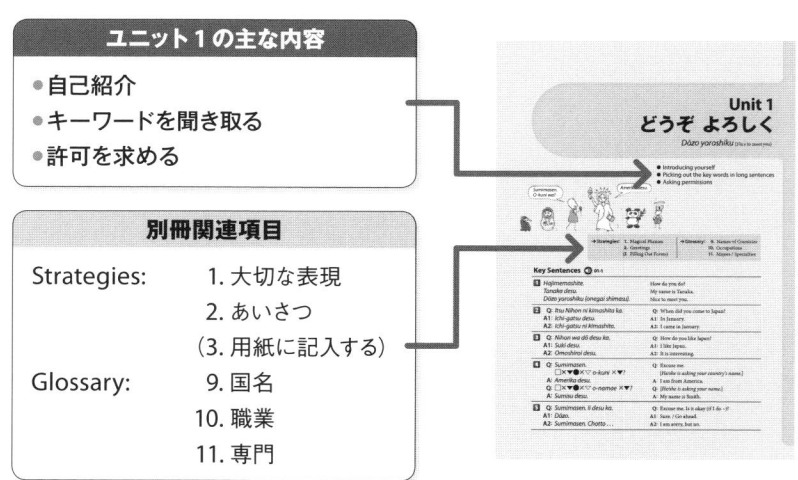

　ユニット1のテーマは自己紹介です。自己紹介といっても、初めて日本語を学習する外国人ができることは極めて限られています。一方、実際の場面では、日本人は学習者の日本語レベルに関わらず、いろいろな日本語（このテキストでは「●×▽」で示されている）で話しかけてきます。そのため、学習者が自己紹介の表現を覚えても、すぐに日本人とコミュニケーションをすることはほとんどできません。初めて会った日本人とコミュニケーションを成立させるには、それなりの方略が必要になります。ここでは、(1) キーワードを聞き取ること、(2) 最小かつ自然な日本語で話すこと、(3) 状況に合った行動をすること、の3つに気をつけて各タスクを行います。

　そのほかに、ユニット1では「すみません、いいですか」など、最も簡単な日本語で相手に許可を求めたり、失礼のないように断ったりする方略も紹介されます。

■ Key Sentences (p. 1)　🔊 01-1

1　はじめまして。
　　田中です。
　　どうぞよろしく（お願いします）。

2　Q: いつ日本に来ましたか。
　　A1: 1月です。
　　A2: 1月に来ました。

3　Q: 日本はどうですか。
　　A1: 好きです。
　　A2: おもしろいです。

4　Q: すみません。
　　　□×▼●×▽お国×▼？
　　A: アメリカです。
　　Q: ×▼●×▽お名前×▼？
　　A: スミスです。

5　Q: すみません。いいですか。
　　A1: どうぞ。
　　A2: すみません。ちょっと…

どうぞ よろしく　Unit 1

Task 1　どうぞ よろしく　*Dōzo yoroshiku* (Nice to meet you)

1 初めて会った人とあいさつしましょう (p. 2)　🔊 01-2

教材 ＊**先生の名刺、ことばカード**　はじめまして。　どうぞ よろしく。　How do you do?　Nice to meet you.
　　（＊が付いている教材は、先生が各自で準備してください。）

　初日の授業は、先生と学習者たちが初めて出会う場です。このチャンスをクラスでそのまま利用して、学習につなげます。
　まずは、いきなり「初めてのあいさつ」をしてみましょう。テキストは開きません。先生は以下のようにリードして、学習者とあいさつの会話を行います。

> T：はじめまして。
> S：？？？？（どう対応していいかわからず戸惑っている）
> T：（先生は はじめまして。 と How do you do? のカードを見せ、「はじめまして」と言うように促す）
> S：はじめまして。
> T：○○です。（自分の名刺の名前の部分を示して、「○○」が名前であることを理解させる）
> S：Smith.
> T：スミスさん。どうぞよろしく。
> S：？？？？
> T：（先生は どうぞ よろしく。 と Nice to meet you. のカードを見せ、「どうぞよろしく」と言うように促す）
> S：どうぞよろしく。

　初日のクラスのはじめの10分がそのコースの雰囲気を決めると言っても過言ではありません。学習者は日本語学習への期待と不安でいっぱいです。ここでは何度もリピートしたり、発音を指導したりはせず、会話を進めることを大切にして「初めてのあいさつができた！」という喜びを実感してもらいましょう。
　その後、テキストを開いて、いま行った活動を振り返ります。話したり聞いたりするだけでなく、文字を読んで表現を確かめることにより、さらに理解が深まります。

2 ことばをマッチングしましょう (p. 2)　🔊 01-3

教材 **ことばカード Ex.　～ (6)（日本語）、ことばカード a ～ g（英語）**

　このユニットでよく使うことばを学びます。成人学習者にとって新しいことばを覚えることは、私たちが予想する以上に大変なことです。テキストを見る前に、以下のようにカードを使って練習すると、クラス全員でゲーム感覚で楽しみながら無理なくことばを覚えていくことができます。

Pen　　Tanaka

① 先生が日本語のことばカードを1枚ずつ読みあげながら、ボードに貼っていく。
② 学習者に英語のことばカードを渡し、ボードに貼った日本語カードの下に正しい英語カードを置くように指示する。
③ きちんとマッチングできたら、先生が日本語カードを読み、学習者がリピートする。
④ 次に、先生が日本語カードをすべてボードから外して学習者に渡し、英語カードはボードの違う位置に貼り直す。
⑤ 学習者は英語カードの下に日本語カードを正しく置いていく。

その後、テキストを開いて **2** を行い、答え合わせをして覚えたかどうか確認します。

Task 2　おくには？　*O-kuni wa?* (Where are you from?)

■ どこから来たか言いましょう (p. 3)　01-4

まず、意味を確認するために **Ex.** を黙読してもらってから、以下のように話しかけます。

T：すみません。お国は？（Task 2 の国名リストを示しながら）
S：America です。

ほとんどの学習者は自分の国名が日本語でどのように発音されるか知らないため、母語の発音のままに答えることが多いものです。学習者の発音が不自然な場合は、日本語らしく発音できるように、以下のように発音指導します。

① 先生が指を4本立て、「ア・メ・リ・カ」と1音ずつゆっくり発音する。このとき、発音しながら指を1本ずつ折る。
② これを2～3回繰り返してから、学習者に一緒にゆっくり1音ずつ発音するように促す。
③ 次に4本指を2本ずつまとめ、「アメ・リカ」と2つに区切って発音する。
④ 学習者も同じように2つに区切って発音する。
⑤ 最後に先生が4本の指をひとつにまとめ、「アメリカ」と発音する。
⑥ 学習者も同じようにまとめて発音する。

以上のようにリズムに注目しながら段階を踏んで練習すると、日本語のリズムが身に付き、日本語らしい発音ができるようになります。学習者は、このような発音練習を通して、日本語と英語のリズムの違いを実感することになるでしょう。これは後で自分の名前を日本的に発音する場合の予備知識にもなります。

どうぞ よろしく　Unit 1

Task 3　リズム・イントネーション (Rhythm / Intonation)

■ 聞いてリピートしましょう (p. 4)　🔊 01-5　(スクリプト p. 153)

教材 イラスト（世界地図）、国名カード Ex. ～ (7)

　Task 2 が終わった時点で、学習者は日本語と母語の発音の違いにちょっと違和感を覚えているはずです。その気持ちの流れのままに、Task 3 でさらに発音練習を続けます。発音練習といっても一音一音にこだわることは避け、Task 2 と同様、まずは日本語らしいリズムで発音することに意識を集中させます。

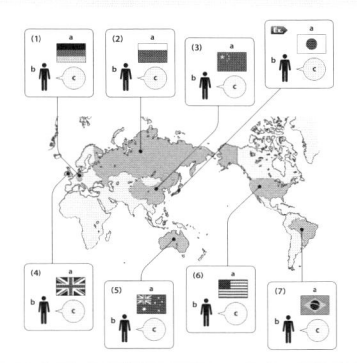

T：にほん。（ボードに貼った地図の Ex. にある日本の国旗を指しながら、S にリピートするように促す）
S：にほん。
T：にほんじん。（ Ex. の日本の人影を指しながら）
S：にほんじん。
T：にほんご。（ Ex. の日本の吹き出しを指しながら）
S：にほんご。

T：ドイツ。（(1) のドイツの国旗を指しながら）
S：ドイツ。
T：（無言で (1) のドイツの人影を指し、学習者に促す）
S：ドイツじん？
T：そうです！そうです！ドイツじん！（OK のサインを出しながら）
T：（無言で (1) のドイツの吹き出しを指し、学習者に促す）
S：ドイツご？
T：そうです！ドイツご！（OK のサインを出しながら）

　大げさなようですが、これは学習者が自分で日本語のルールを解明した瞬間です。このとき先生は、学習者の推理が正しかったことを「OK サイン」を出してきちんと伝えます。(2) ロシア、(3) 中国も同じように練習します。(4) のイギリスで、学習者がそれまでと同様「イギリス」「イギリス人」「イギリス語」と言ったら、先生は「えいご」と訂正します。ほとんどの学習者は「あ、そうか、"English" って『エイゴ』なんだ」などとつぶやいたりうなずいたりして理解します。

　日本からブラジルまで一通り練習したら、最後に国名カードを使って、それぞれの国のローマ字表記を確認します。目で確かめながら発音することによって、より確かに記憶に刻まれますし、ローマ字表記にまだ慣れていないので、国名カードでローマ字を確認することもできます。

　発音練習が終わったら、CD を聞いてリピートしましょう。CD の「ピッピッ」という音に合わせてリズミカルにリピートすると、日本語らしい発音になります。また、リズムに合わせて先生が地図上の「国旗・人・吹き出し」の部分を順番に指し示すと、わかりやすくなります。

021

Task 4 いつ にほんに きましたか *Itsu Nihon ni kimashita ka* (When did you come to Japan?)

■いつ日本に来たか言いましょう (p. 5)　01-6/7/8

まず、「Months」と「〜 year(s) ago」のリストを先生が読み、学習者が1回リピートします。自分の来日に関する「月」あるいは「〜年前」が伝えられればいいので、リストを何度もリピートする必要はありません。次に、先生が以下のように話しかけます。

> T：Sさん、いつ日本に来ましたか。(「Month」「〜 year(s) ago」のリストを示し、選ぶように促す)
> S：1月です。
> T：「1月です」。オッケーです。(OKサインを出しながら)
> 　「1月に来ました」。オッケーです。(OKサインを出しながら)

「いつ日本に来ましたか」の質問に対して「1月です」「1月に来ました」のどちらも正しいことを、OKサインを出すことによって学習者に知らせます。わかりにくいようであれば、Grammar 3 (p. 11) の例文で意味を確認します。その後、テキストの会話例を確認し、学習者同士で質問し合います。

Task 5 ネームカード (Name card)

1 CDを聞いてネームカードを埋めましょう (p. 6)　01-9 (スクリプト p. 153)

まず、**Ex.** のパウロさんのネームカードを見ながら、CD (パウロさんの自己紹介) を聞きます。次に (1) (2) の自己紹介を聞き、〈名前 (Name)〉〈国名 (Country)〉〈いつ日本に来たか (Date)〉をそれぞれネームカードに書き込みます。書くときは、ローマ字でも英語でもかまいません。

2 あなたのネームカードを作りましょう (p. 6)

自分のネームカードを作成します。以下のように先生と会話のやりとりをしながら作成すると、実際のコミュニケーションに近づくことができます。「お名前は？」「お仕事は？」などの「〜は？」の意味がわからないようであれば、Grammar 2 (p. 11) を読むように指示します。ここで作成した自分のネームカードは、次の Task 6 で使用します。

```
● Name
♥ Country
◆ Date
♣ Occupation*
```

> T：お名前は？ (ネームカードの「Name」を指しながら)
> S：Smith です。(英語の Smith の発音のまま)
> T：すみません。"Smith" は英語です。日本語は「スミス」です。(「スミス」とはっきり発音し、本人の名前が

日本語になるとどう発音されるか聞かせる。「オッケー？」という動作をして、本人の了解を取る）
書いてください。（書く動作をしながら、「Name」の部分を示す。この段階ではまだローマ字の書き方に慣れていないので、書く場合は"Sumisu"ではなく"Smith"でよい。）

T：お国は？（ネームカードの「Country」を指しながら）
S：アメリカです。
T：書いてください。

T：いつ日本に来ましたか。（ネームカードの「Date」と、「Months」「〜 year(s) ago」のリストを指し示しながら）
S：さんがつです。
T：書いてください。（ネームカードの「Date」を指しながら）

T：お仕事は？（ネームカードの「Occupation」を指し、別冊「Glossary 10. 職業」[大学生や研究者の場合は「11. 専門」]を見せる）
S：こうむいんです。
T：書いてください。（ネームカードの「Occupation」を指しながら）

自分の名前が日本語らしく修正されて発音されることに抵抗感を持つ学習者もいます。しかし、日本語の音韻体系にない発音の場合は日本人は発音することができず、聞いても記憶に残りません。自分の名前をどのように発音するか、初日の日本語クラスの中で折り合いをつけることも大切です。先生は学習者の名前を日本語らしく発音し、それが本人にとって受け入れられるかどうか確認するといいでしょう。なお、国名に関しては、初めから日本語らしく発音するように指導します。

「お名前は？」と聞かれて「スミス」と答えた場合は、Grammar 1 (p. 11) の答え方の部分を示し、「スミスです」と答えるように促します。

Task 6　おなまえは？ *O-namae wa?* (May I ask your name?)

1 クラスメートにインタビューしましょう (p. 7)　01-10

教材 * Task 5 で作ったネームカード

インタビュー活動です。まず CD（ペンさんの会話）を聞き、テキストの会話例を読みます。

その後、学習者 2 人でペアになってお互いにインタビューし、表に答えを書き込みます。「日本はどうですか」に対しては「好きです／楽しいです／おもしろいです」の中から選んで答えます。国名、年月、名前が聞き取りにくい場合は、Task 5 で作成したネームカードを相手に見せながら自己紹介し、インタビューを成功させます。この活動は次の **2** の活動の準備です。

Part 2　各ユニットの進め方

2 CD Simulation 初めて出会った人が、あなたに関する質問を5つします。CDを聞いて、キーワード（「お国」「お名前」「お仕事」「いつ」「どうですか」）を聞き取り、質問に答えましょう。(p. 7)

🔊 **01-11** （スクリプト p. 153）

（CDのピー音の後で答えてください。質問ごとに、あとから解答例の音声が出ます。）

教材 ＊**カレンダー（実物）**

CD Simulation のタスクでは、CDを相手に会話をしますが、CDを聞く前に、まずいきなり実際の世界に限りなく近い状況でコミュニケーションを体験してみます。ここでは、様々な日本語の中から「お国／お名前／お仕事／いつ／どうですか」を聞き取り、最小限の日本語で対応する方略を身に付けます。

先生が見知らぬ人の役になって、学習者1人1人に自然なスピードで以下のように話しかけていきます。

- T：すみません。ちょっとよろしいですか。どちらからいらっしゃったんですか。お国はどちらですか。（ごく普通のスピードで話しかける）
- S1：？？？
- T：あの……どちらからいらっしゃったんですか。お国は、どちらですか。お国は？
  （「お国／どちら」をややはっきり発音する。ただし「お／く／に」のように1音1音ずつ区切って発音することは不自然なので避ける。「おくには／どちらですか」と意味のまとまりごとに区切って発音すると理解しやすくなる。）
- S1：アメリカです。
- T：アメリカ……好きです。

- T：日本はもう長いんですか。いつ日本にいらっしゃったんですか。（ごく普通のスピードで）
- S2：？？？
- T：あの……いつ、日本に、いらっしゃったんですか。（「いつ」をややはっきり発音する）
- S2：くがつです。
- T：9月？　へえ……9月。（カレンダーの9月の部分を指し示し、「よくわかりました」という感じで）

- T：日本はいかがですか。お好きですか。（ごく普通のスピードで）
- S3：？？？
- T：あの……日本は、いかがですか。どう？　どうですか。（「どう」をややはっきり発音する）
- S3：すきです。
- T：好きです！　ありがとうございます。

- T：失礼ですが……お名前をお聞きしてもよろしいですか。お名前は何とおっしゃいますか。（ごく普通のスピードで）
- S4：？？？
- T：あの……お名前は？　お名前は、何とおっしゃいますか。（「お名前は」をややはっきり発音する）
- S4：スミスです。
- T：スミス？　スミスさん！　（「よくわかりました」という感じで）
  ○○です。（自分のことを示しながら）

T：日本へはお仕事でいらっしゃったんですか。お仕事は何をなさっているんですか。
S5：？？？
T：あの……お仕事は？ お仕事は何をなさっているんですか。（「お仕事は？」をややはっきり発音する）
S5：ぎんこういんです。
T：銀行員！（「よくわかりました」という感じで）
　日本語の先生です。（自分のことを示しながら）

　ここで大切なことは、初め何を言っているか全くわからなかった相手の質問が、キーワードを聞き取ることによって霧が晴れるように理解できた、という瞬間を先生が作り出すことです。この体験が、どんな日本語で話しかけられても「だいじょうぶ」という自信につながっていきます。また、学習者の返答に対して、先生が「なるほど、そうなんだ」といちいち反応を示すことも大切です。こうした反応はクラスでは大げさなように感じますが、教室外で実際に会話をしているときは、新しい情報を聞けば、相手は驚いたり喜んだり興味を示したりするものです。自然なコミュニケーションを演出するつもりで、先生は驚いたり喜んだり、きちんと反応してみせます。

　以上のように、実際の世界に限りなく近い状況でコミュニケーションを行ったら、今度は CD シミュレーションを行います。もう一度、同じ流れの会話を整理された形で行うことで、よりスムーズに話せるようにします。

　CD シミュレーションでは、学習者は CD と会話をします。「ピー」という音が聞こえたら学習者が話す番です。もたもたしていると、正解が流れてきてしまいます。実際の場面では、たとえ初級日本語学習者であっても、ある程度のスピードでやりとりをすることが要求されます。この練習を通して、限られた時間内でとにかく何らかの反応をする、コミュニケーションをあきらめない態度を身に付けます。

Task 7　いいですか Ii desu ka (May I...?)

1 Tryout あなたはいま、パーティーに来ています。あなたの隣の席に座ってもいいかどうか、知らない人が話しかけてきました。(p. 8)

教材 コママンガ、ことばカード（日本語）、ことばカード（英語）、*ワイングラス、*ビールやジュースの空き缶、*世界地図、* Task 5 で作ったネームカード

　パーティーの場面で相手の了解を得るという活動を行います。相手の了解を得ることは社会生活上、最も大切なマナーのひとつですが、日本語教育では一般に、学習がある程度進まないとこれらの表現を学ぶことができません。しかし、日本での生活を始める段階でこれらのマナーを身に付けていれば、人間関係を円滑にスタートすることができるはずです。ここでは、短い表現で許可を得たり、許可したり、断ったりする方略を学びます。

　学習者の隣にひとつ空いている席を作ります。パーティーの雰囲気が出るようにワイングラスやジュースの空き缶を用意すると、臨場感が出て活動が盛り上がります。テキストは開きません。

```
T：パーティーです。（Ｔはワイングラスを片手に持つ。Ｓの前にもビール缶を置いておく）
T：あの、すみません。いいですか。（Ｓの隣の空いている席を指し示して）
S：OK。
T：（「どうぞ」と小声で言って、「どうぞ」を言うように促す）
S：どうぞ。
```

このような流れで、学習者はほとんどの場合、ジェスチャーや実際の状況から「隣の席に座ってもいいか」と聞かれていることがわかります。学習者がわかりにくいようであれば、**2** Review の **1** の絵や場面説明の英文（You are at a party. You find an empty seat and ask A-san if it is okay to sit there.）を読んで、状況を確実に理解してもらうといいでしょう（この活動は、**2** の **1** の状況と同じです）。

席に座ったら、先生は「パーティーでたまたま隣に座った人」という何気ない様子で学習者から自己紹介を引き出します。先生は日本人ではなく、他の国の人という設定がいいでしょう。世界地図を用意しておくと、より楽しい自己紹介になります。また、学習者は Task 5 で作った自分のネームカードを手元に置いておくと、ことばを忘れてもカードを見ながらスムーズにコミュニケーションができます。

```
T：すみません。おくには？
S：スペインです。
T：スペイン！ 好きです。（Ｓにも質問するようにジェスチャーで促す）
S：すみません。おくには？
T：ネパールです。
S：ネパ？
T：ネパールです。（世界地図のネパールを指して）
S：ネパール！！
T：いつ日本に来ましたか。
S：きょねん、きました。（自分のネームカードを見ながら）
```

このような自己紹介のやりとりを、先生と学習者で一度行ってモデル会話を示した後、学習者2人でペアになってお互いに自己紹介をします。

ここで注意したいことは、誰かに紹介されたような場合でない限り、初対面の人にいきなり名前をたずねることはほとんどないということです。通常、日本人ではないと思われる人に話しかける場合、国名やいつ来日したか、日本に対する感想など、まずは一般的な質問をし、距離感が縮まったところで名前や職業を聞いてみることが多いはずです。先に行った Task 6 の自己紹介もこの流れに沿っていますが、Task 6 では質問の順序を学習者自身が決めたわけではありません。ここで初めて、どの順番で質問をするかが学習者に任されることになります。先生はその点も注意して指導しましょう。

次に断る際の方略を学びます。「隣に座ってほしくない」という状況は複雑なので、②の③の絵（大きなネコが脅えているネズミに話しかけている絵）を見せ、状況を理解してもらいます。その後、先生がネコになり、以下のように話しかけます。

T：あの、すみません。いいですか。（いかにも強面のネコの様子で、Sの隣の席を指し示す）
S：（ダメダメと言いたげなジェスチャーなどで、断る意志を表す）
T：（「すみません。ちょっと……」と小声で言って、同じように言うように促す）
S：すみません。ちょっと……。

断るときは、相手に失礼のないように、間の取り方や表情に気を配るように指導します（この活動は、②の③の状況と同じです）。

② Review 会話を完成させましょう (p. 8) 🔊 01-12

いまの体験を振り返ります。①と③の状況を表す絵を見て、空欄に正しい日本語を書き入れ、会話を完成させます。Tryout を体験しただけで終わらせてしまうと、せっかく使えるようになっていたことばも、忘れてしまう可能性があります。書いたり読んだりすることによって、きちんと記憶に残るようにします。

Final Task　じこしょうかい　Jiko shōkai (Self introduction)

① CDを聞いて空欄を埋めましょう (p. 9) 🔊 A 01-13　B 01-14

A B の2つの自己紹介を聞いて、空欄の部分を聞き取り、書き入れます。学習者は日本語の発音に慣れていない上にローマ字表記をまだよく知らないので、先生は答えが正しく書けているかどうか確認します。A（スミスさん）・B（タンさん）の自己紹介は、Task 5 ① の(1)(2)（ネームカードを作成したときの自己紹介）と同じものです。

② クラスで自己紹介をしましょう (p. 9)

クラスで発表する場合は、いままでの1対1のコミュニケーションと異なり、「1人対多人数」の一方向のコミュニケーションになります。フォーマル度も高まり、フルセンテンスで説明することが要求されます。学習者はまず空欄を埋めて、自分のプレゼンテーション原稿を作成します。原稿作成と練習には時間がかかることが多いので、宿題にするといいでしょう。発表の際はできるだけ原稿を見ないように指導します。

Part 2　各ユニットの進め方

Self-check Greetings（あいさつ）

▶ **CD を聞いてリピートしましょう** (p. 10)　01-15

教材 **あいさつのイラスト**

日常のあいさつです。CD を聞いて表の (1) から (6) までリピートしたら、絵を見ながら練習します。A は丁寧なあいさつ、B は友だち同士のカジュアルなあいさつです。A・B の使い分けがわかるように、誰にあいさつしているかに注目して、以下のように練習するといいでしょう。

（T が (1) の「Good morning.」を指してから）
T：おはよう。（鳥にあいさつしている絵を指して、S にリピートするようジェスチャーで促す）
S：おはよう。
T：おはよう。（子どもにあいさつしている絵を指して）
S：おはよう。
T：おはようございます。（女性に深々とおじぎをしてあいさつしている絵を指して）
S：おはようございます。
T：おはようございます。（ビジネスマンに深々とおじぎをしてあいさつしている絵を指して）
S：おはようございます。

(2) から (6) まで、同じように練習していきます。

どうぞ よろしく　Unit 1

Unit 1 の流れ

活動の内容	日本語	教材
Task 1　どうぞ よろしく		
① 初めてのあいさつをとりあえず成功させる。 ② カードを使ってゲーム感覚で自己紹介に必要なことばに慣れる。	・はじめまして。〜です。どうぞよろしく。 ・日本、お仕事、お国、お名前、来ました	＊先生の名刺 ことばカード「はじめまして。」「どうぞよろしく。」「How do you do?」「Nice to meet you.」 ことばカード Ex. 〜 (6)（日本語） ことばカード a 〜 g（英語）
Task 2　おくには？		
自分の出身国を伝え、国名を日本語らしく発音してみる。	Q: すみません。お国は？ A: アメリカです。	
Task 3　リズム・イントネーション		
世界の主な国名、国籍、言語を日本語らしく発音してみる。	日本、日本人、日本語 ドイツ、ドイツ人、ドイツ語　など	イラスト（世界地図） 国名カード Ex. 〜 (7)
Task 4　いつ にほんに きましたか		
自分が日本にいつ来たか伝える。	Q: いつ日本に来ましたか。 A1: 〜月です。 A2: 〜月に来ました。	
Task 5　ネームカード		
① パウロさんたちの自己紹介を聞き、ネームカードを完成させる。 ② 自分のネームカードを作る。	「はじめまして。パウロです。ブラジルから来ました。一月に来ました。会社員です。どうぞよろしく。」など（リスニングのみ）	
Task 6　おなまえは？		
① インタビュー活動：国籍や職業、日本の印象などを聞き合う。 ②（自己紹介をリアルに体験する）初めて会った人に話しかけられ、自己紹介する。	Q: すみません、お国は？ A: 〜です。 Q: いつ日本に来ましたか。 A: 〜です。 Q: 日本はどうですか。 A: 好き / たのしい / おもしろいです。 Q: お名前は？ A: ××です。 Q: すみません、××さん、お仕事は？ A: 〜です。	＊Task 5 で作ったネームカード ＊カレンダー（実物）
Task 7　いいですか		
①② ・空いている席に座ってもいいか、聞いたり聞かれたりする。 ・パーティーで初めて会った人と自己紹介し合う。	・Task 6 の自己紹介の応用会話 ・Q: すみません、いいですか。 　A1: どうぞ。 　A2: すみません、ちょっと……。	コママンガ ことばカード（日本語） ことばカード（英語） ＊ワイングラス　＊ビールやジュースの空き缶　＊世界地図 ＊Task 5 で作ったネームカード
Final Task　じこしょうかい		
① CD の自己紹介を聞いて、文を完成させる。 ② 自分の自己紹介文を作成し、クラスで発表する。	「はじめまして。スミスです。アメリカから来ました。12月に来ました。銀行員です。どうぞよろしく（お願いします）。」など	

＊は教師が自分で準備するもの（CD-ROM には含まれていない）

Unit 2 なんですか (p. 15)
(What is this?)

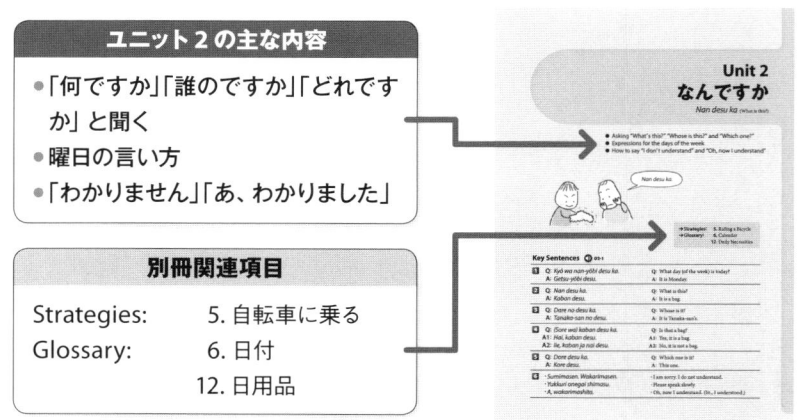

ユニット 2 の主な内容
- 「何ですか」「誰のですか」「どれですか」と聞く
- 曜日の言い方
- 「わかりません」「あ、わかりました」

別冊関連項目
Strategies:　5. 自転車に乗る
Glossary:　　6. 日付
　　　　　　12. 日用品

　ユニット 2 では、学習者が自分から質問してその答えを正確に聞き取る方略を身に付けます。この段階の学習者は、例えば「何ですか」「誰のですか」などと質問はできても、答えがきちんと聞き取れないということがよくあります。ユニット 2 ではカードゲームや体験型のコミュニケーション活動を通して、「すみません。わかりません」「あ、わかりました」などの表現がタイミングよくスムーズに使えるように繰り返し練習します。最後は、Final Task の「ゴミ捨て場で注意されるが、何を言われているのかわからない」という状況で、ユニット 2 で学んだ日本語を使ってキーワードを聞き取り、問題を解決することができるでしょう。

　また、曜日の言い方もユニット 2 の学習項目のひとつです。「曜日」は日常生活で不可欠なものですが、学習者にとってこれらを一度に覚えて使えるようになるのは容易なことではありません。ユニット 2 では、カードやジェスチャーを使って楽しく覚えていくことを目指します。

■Key Sentences (p. 15) 02-1

1　Q: 今日は何曜日ですか。
　　A: 月曜日です。

2　Q: 何ですか。
　　A: かばんです。

3　Q: 誰のですか。
　　A: 田中さんのです。

4　Q: (それは) かばんですか。
　　A1: はい、かばんです。
　　A2: いいえ、かばんじゃないです。

5　Q: どれですか。
　　A: これです。

6　・すみません。わかりません。
　　・ゆっくりお願いします。
　　・あ、わかりました。

なんですか　Unit 2

Task 1　にちようびですか　*Nichi-yobi desu ka* (Is it Sunday?)

1 曜日 (p. 16)

[Tryout] 先生の言ったカードを指しましょう

[教材] 曜日カード（日本語）、曜日カード（英語）、*カレンダー（実物）、*指示棒

まず、曜日の言い方を紹介します。一度に全部覚えるのは難しいので、まずは「日曜日」から「水曜日」までの４つを紹介します。

T：にちようび。（日曜日のカード（日本語と英語）をそれぞれボードに貼る）
S：にちようび。
T：げつようび。（月曜日のカード（日・英）をボードに貼る）
S：げつようび。
T：かようび。（火曜日のカード（日・英）をボードに貼る）
S：かようび。
T：すいようび。（水曜日のカード（日・英）をボードに貼る）
S：すいようび。

日	月	火	水
にちようび	げつようび	かようび	すいようび
nichi-yōbi	getsu-yōbi	ka-yōbi	sui-yōbi
木	金	土	
もくようび	きんようび	どようび	
moku-yōbi	kin-yōbi	do-yōbi	

英語の曜日カードはボードにそのまま貼っておき、日本語の曜日カードをボードから外します。

T：にちようび。（T が Sun. のカードを指示棒で指す）
T：げつようび。（T が Mon. のカードを指示棒で指す。それから、指示棒を学習者に渡す）
T：にちようび。（S が Sun. のカードを指示棒で指す）
T：げつようび。（S が Mon. のカードを指示棒で指す）
T：すいようび。（S が Wed. のカードを指示棒で指す）

この練習の場合、学習者は発音を聞いてカレンダーの曜日の部分を指すだけでいいので、曜日の言い方に無理なくなじんでいくことができます。日曜日から水曜日までできるようになったら、同じく木曜日、金曜日、土曜日の練習をします。

▶ **CD を聞いてリピートしましょう**　🔊 02-2

CD を聞いて、曜日を繰り返します。

2 **カードゲーム：パートナーが持っているカードを当てましょう** (p. 16)　🔊 02-3

[教材] 曜日カード（日本語）　※各ペアに１セットずつ

曜日の言い方にさらに慣れるために、カードゲームをします。まず、先生が以下のようにモデルを示します。

T：何曜日ですか。（月曜日のカードを見せて）
S：月曜日です。
T：何曜日ですか。（水曜日のカードを見せて）

Part 2　各ユニットの進め方

S：水曜日です。
T：何曜日ですか。（曜日カードの裏側［何も書いてない側］を見せて）
S：？
T：（小さい声で「わかりません」とSに言うように促す）
S：わかりません。
T：（テキストの指示文 "Guess the card your partner has." を示し、曜日を当てるように促す）
S：火曜日ですか。
T：いいえ、火曜日じゃないです。
S：日曜日ですか。
T：はい、日曜日です。

このゲームの目的は2つです。ひとつは、曜日の言い方をできるだけ覚えることです。しかし、成人学習者にとって7つの曜日を一度に覚えることは大変なチャレンジです。この段階では、半分ほどが覚えられたらよしとして、残りは毎回クラスの中で復習を行い、徐々に覚えていくようにします。

もうひとつの目的は、「～です」「～じゃないです」「～ですか」を使って、自然なやりとりを繰り返し行うことです。このとき、学習者の主な注意が、曜日を当てるというゲームそのものに置かれるように注意します。点数制にしたり、時間を制限するなどしてゲーム制を高めるのも一案ですが、まず先生がゲームをワクワクしながら楽しむことが雰囲気作りの決め手となるでしょう。楽しめる環境があれば、より多くの曜日をスムーズに覚えていくことも期待できます。

3　先生の質問に答えましょう (p. 17)　🔊 02-4

教材 ＊カレンダー（実物）

実物のカレンダーを見せながら、テキストの例のように先生が学習者に質問します。
「きょう」と「あした」は、ここで初めて学ぶことばです。Final Task のキーワードでもあるので、学習者の記憶にできるだけ残るよう、「きょう」「あした」を使って繰り返し学習者に質問したり、ノートに書かせたりします。

Task 2　なんですか　Nan desu ka (What is this?)

■日本語で何と言うか先生に質問して、空欄を埋めましょう (p. 17)　🔊 02-5 （スクリプト：p. 153）

教材 絵カード **Ex.** ～ (10)、Final Task のことばカード　わかりません。　あ、わかりました。　ゆっくり　おねがいします。　I don't understand.　Oh, now I understand.　Please speak slowly.

■必要な場合は、以下の表現を使ってください。

・わかりません。
・あ、わかりました。
・すみません。ゆっくり おねがいします。

日本語で何と言うかを知るための練習です。先生は、以下のように話しかけます。

なんですか　Unit 2

T：先生に質問してください。（テキストの指示文 "Ask the teacher how to say things in Japanese." の部分を示し、質問するように促す）
S：何ですか。（「かばん」の絵カードを見せながら）
T：かばんです。
　（TがSに「かぎ」の絵カードを見せて、「なんですか」と質問するよう促す）
S：何ですか。
T：かぎです。（自然なスピードで言う）
S：？？
　（学習者が何を言ったらいいかわからないようなら、ことばカード　わかりません。　ゆっくり　おねがいします。　を示す）
S：すみません、わかりません。ゆっくりお願いします。
T：かぎ。かぎです。（ややゆっくり、はっきり発音する）
T：書いてください。（テキストの空欄を指し、書くように動作で促す）
S：（「kagi」と書く）
T：はい。いいです。（OKサインを出しながら）

　ここでのポイントは、1回聞いただけでは答えが聞きとれないような状況を先生が作り、学習者に課題を与えるということです。そして、学習者が「わかりません」「ゆっくりお願いします」と言いたくなったら、先生はすかさず、ことばカード　**わかりません。　ゆっくり　おねがいします。　あ、わかりました。**　を示します。大げさなようですが、それはまさに学習者がほしいことばを手に入れた瞬間であり、こうした環境の中で獲得したことばは、学習者の記憶に深く残ります。

　なお、この段階の学習者は、まだローマ字もひらがなもきちんと書けないことが多いので、正しく書けているか確認しながら進めることも必要です。

Task 3　だれの　ですか　*Dare no desu ka* (Whose is this?)

Phrases for the Task　(p. 18)　02-6

教材　*先生や学習者の持ち物（かばん、携帯、本、かぎなど、ユニット2で学ぶもの）

　まず、例文を読んで意味を確認します。学習者がわかりにくいようであれば、Grammar 3・4 (p. 22) の説明を読んでもらいます。
　その後、実際の持ち物を使って以下のような活動につなげると、誰のものなのか、興味を持ってやりとりをすることができます。

(Tが学習者のテキストを全部集め、前に並べる。そこから1冊手に取って)
T：誰のですか。誰の本ですか。
S：？ わかりません。（すべて同じ教科書なのでわからない）
T：誰のですか。（学習者の名前の書かれている部分を示す）
S：S1さんのです。
T：誰のですか。誰の本ですか。（次の本を手に取って）

　ノートや携帯など、他のものも集めて同じように話しかけ、誰の持ち物か当てます。

■ 空欄を埋めましょう (p. 18)

活動の後で、文の形をきちんと確認します。体験しただけで終わらせてしまうと、せっかく使えるようになった表現も忘れてしまう可能性があります。空欄に答えを書いて、文を完成させます。

Task 4 これ・それ・あれ Kore/Sore/Are (This / That / That)

1 Tryout 先生の質問に答えましょう (p. 19)

教材 *かばん、時計、本、携帯など、実際に教室にあって、学習者が日本語を知っているもの

まず、実際に「これ」「それ」「あれ」の位置関係を体験します。

[これ]
T：これはかばんです。（T はかばんを手に取って言い、「*Kore wa kaban desu.*」と板書する。それから、S にかばんを渡し、同様に言うように促す）
S：これはかばんです。
T：これは本です。（T は本を手に取って言う。それから、その本を S に渡し、同様に言うように促す）
S：これは本です。

[それ]
T：それはかばんです。（S の持っているかばんを指して言う。「*Sore wa kaban desu.*」と板書する）
T：それは本です。（S の持っている本を指して言う。次に、T がかばんを手に取り、それについて言うように S に促す）
S：これはかばんです……それ…？ これ…はかばんです？

「これ」と「それ」を学習者が混乱しているようなら、Grammar 5 (p. 22) を読んでもらい、それぞれの意味を確認します。

最後に、学習者と先生のどちらからも離れた時計を指して、「あれは時計です」とモデルを示します。このように距離感や自分と相手との位置関係を実際に体験することは、「こ」「そ」「あ」の学習にとって極めて大切です。

2 Review 空欄に「これ」「それ」「あれ」を入れましょう (p. 19)

1の活動を振り返ります。吹き出しの（　　　）に答えを書いて、「これ」「それ」「あれ」の位置関係をきちんと理解しているかどうか確認します。

Task 5 どれですか Dore desu ka (Which one?)

1 Tryout いろいろな物の持ち主を探しましょう (p. 20)

教材 *学習者の持ち物、*先生が作成したお札カードとコイン（一万円札、千円札、10 円玉、5 円玉。遠くから見えるように大きめなサイズで作成する）、**ことばカード a ～ f（日本語）、ことばカード a ～ f（英語）、コママンガ**

なんですか　Unit 2

これまでの活動では、「これ」「それ」「あれ」を使わず、主語を省略した文でコミュニケーションをしてきました。ここで初めて「これ」「それ」「あれ」を明示しないと意味が通じない事態になります。以下に3つの活動例を紹介します（活動で使うお札や硬貨は、本物より、紙などで大きく作ったもののほうがわかりやすいです）。

〈活動例1〉

Task 3と同じように、先生が学習者からテキストやペンなどを集めます。そして、それを全部持って学習者から離れたところに立ちます。

> T：誰のですか。（学習者の持ち物を全部自分の前に置いて、それらすべてを示しながら）
> S：？
> 　　（学習者が何を言えばいいかわからないようだったら、ことばカード どれですか。 を示す）
> S1：どれですか。
> T：これです。（ひとつ手に持って）
> S2：私のです。
> T：はい。どうぞ。（S2に近づき、渡す）

集めた持ち物ひとつひとつについて同じように質問し、持ち主に返していきます。

〈活動例2〉

■1のイラストのように「2人の人がぶつかって荷物が床に散らばってしまい、誰の物なのかわからなくなる」という活動です。まず、「先生と学習者の2人がうっかりぶつかって、荷物を床に落としてしまった」という状況を作ります。先生が自分の近くの物を手に取って「これは誰のですか」「それは誰の？」などと質問し、学習者から「どれですか」「それは私のじゃないです／私のです」などの答えを引き出します。慣れてきたら、学習者3人で同じように「どれですか」「それは私のです」などとやりとりしながら、それぞれの品物を持ち主に戻します。この活動は、誰の持ち物かわからなくなることが必要なので、3人以上必要です（ぶつかる2人以外に1人以上必要）。

〈活動例3〉

これは■2のコママンガと同じ状況の活動ですが、学習者はそのことは知りません。まず、一万円札、千円札、10円玉、5円玉のカードを先生が手に持ち、学習者に示します。ここで重要なのは、先生がお金を持っていることを学習者に知らせることです。数字や値段の言い方は次のユニット3で学習するので、ここで触れる必要はありません。

> T：（5円玉を手に取って学習者に見せる）
> T：（10円玉を手に取って学習者に見せる）
> T：（千円札を手に取って学習者に見せる）
> T：（一万円札を手に取って学習者に見せる）

先生は、お金を持って学習者から離れて立ちます。そして、一万円札、千円札、10円玉、5円玉のカードをすべて自分の前に置きます。

> T：誰のですか。（お金カードを全部自分の前に置いて、それらすべてを示しながら）
> S：どれですか。
> T：これです。S1さんのですか。（5円玉のカードを手に取って）
> S1：私じゃないです。
> T：これは誰のですか。（一万円のカードを手に取って）
> S2：はい！（一万円のカードをS2に渡す）

お茶目な学習者が多いクラスであれば、我先に「（一万円は）私の！ 私のです！」となりますが、内気な学習者ばかりで誰も「私のです」と言い出さない場合は、先生が先陣を切ります。「じゃ、（一万円は）私のです。ありがとうございます」と言って、当たり前のように自分の財布に入れるふりをすると、雰囲気も和むでしょう。

2 Review 吹き出しに合う表現を選びましょう (p. 20)

いまの活動を振り返ります。吹き出し①～⑤にa～fから正しい表現を選び、会話を完成させます。

3 Shadowing CDと一緒に言いましょう (p. 20) 🔊 02-7

2のコママンガを見ながら、CDに合わせてシャドーイングの練習をします。この練習では、スピードやイントネーション、表情の出し方まで、できるだけ同じように言ってみることが大切です。

Final Task わかりません *Wakarimasen* (I don't understand)

Phrases for the Task (p. 21) 🔊 02-8

このタスクで使う重要表現です。すでにTask 2やTask 5で使っているので慣れているはずですが、再度読んで意味を確認します。

1 Tryout 管理人と話しましょう (p. 21)

（あなたはいま、アパートのゴミ置き場にゴミを捨てようとしています。）

教材 ＊ビンが入っているゴミ袋、＊「Trash Area」（ゴミ置き場）のサイン、＊ゴミの日を掲示した紙、ことばカード（日本語）、ことばカード（英語）、コママンガ

実際の生活でありがちなゴミ出しでのトラブルにどう対処するかを体験的に学びます。ビンが入っているゴミ袋、ゴミ置き場のサイン、ゴミの日の掲示などを使って、アパートのゴミ置き場を教室に再現します。先生が管理人、学習者がアパートの住人の役になります。

> T：（テキストの状況説明「You are putting out trash at the garbage collectioin area of your apartment.」）を読むように示しながら、Sにゴミ袋を渡す）
> S：（ゴミ袋をゴミ置き場に置く）
> T：私は管理人さんです。（"Caretaker"と板書する）
> T：ちょっと、すみません。だめですよ。そこに置かないでください。曜日が違いますよ。（自然なスピードで）

> S：？？
> T：だめですよ。だめ、だめ。そこに置かないでください。曜日が違いますよ。

この段階まで来ると、ほとんどの学習者は何を言ったらいいのか判断できるようになっています。しかし、わかってはいても日本語がスムーズに出てこない場合もあります。そのような場合は、先生はことばカード **わかりません。 ゆっくり おねがいします。 これですか。** を示します。

> T：それは今日じゃないですよ。今日じゃないです。違います。
> 　　それ。（学習者の持っているゴミ袋を指さす）
> S：これですか。
> T：それは土曜日です。あしたです。わかりますか。あしたお願いします。
> S：あ、わかりました。ありがとうございます。

ここで最も大切なことは、先生は「管理人になりきって、ごく自然な日本語で話しかける」ということです。実際の場面では、管理人の日本語は学習者には「●×□●△×■△●？」のようにしか聞こえないものです。それでも学習者は、「きょうじゃない」「あした」「それ」などのキーワードを聞き取り、類推力を働かせて、自力で意味を理解しなければなりません。「わかりません。」（聞き返し）「これですか。」（確認）などのストラテジーを使って、できるだけ自分の力で問題を解決できるよう、先生は学習者を助けます。「自力で対応できた」という自信は、コミュニケーションをあきらめない態度を育てます。

2 Review 会話を完成させましょう (p. 21)

1で体験した活動を振り返ります。体験だけで終わらせず、書いたり読んだりすることで、正しい日本語が記憶に深く残ります。

3 CD Simulation CDと会話をしましょう (p. 21) 🔊 02-9

　　（ピーという音のあとで答えを言いましょう。）

1で体験した活動と同じ内容で、今度はCDと会話をします。もう一度同じ流れの会話を整理された形で行うことで、よりスムーズに話せるようにします。

Unit 2 の流れ

活動の内容	日本語	教材
Task 1　にちようびですか		
1 2 曜日カードを使ってゲームをする。 3 カレンダーで曜日を確認する。	・日曜日〜土曜日 ・Q: 日曜日ですか。 　A1: はい、日曜日です。 　A2: いいえ、日曜日じゃないです。 ・今日は／あしたは何曜日ですか。	曜日カード（日本語） 曜日カード（英語） ＊カレンダー（実物） ＊指示棒
Task 2　なんですか		
自分から質問して、物の名前を正確に聞き取る。	・Q: 何ですか。 　A: かばんです。 ・わかりません。 ・すみません、ゆっくりお願いします。 ・あ、わかりました。 ・かばん、かぎ、靴、財布、本、時計、携帯、新聞、自転車、パソコン、お金	絵カード Ex. 〜（10） Final Task のことばカード
Task 3　だれの ですか		
実際の持ち物を使って、誰の物か質問したり答えたりする。	Q: 誰の（かばん）ですか。 A1: ペンさんの（かばん）です。 A2: ペンさんの（かばん）じゃないです。	＊先生や学習者の持ち物（かばん、携帯、本、かぎなど、ユニット2で学ぶもの）
Task 4　これ・それ・あれ		
1 2 「これ」「それ」「あれ」の位置関係を体験する。	・これは〜です／〜ですか／何ですか。 ・それは〜です／〜ですか／何ですか。 ・あれは〜です／〜ですか／何ですか。	＊かばん、時計、本、携帯など、実際に教室にあって、学習者が日本語を知っているもの
Task 5　どれですか		
1 2 3 「数人でぶつかって荷物が散乱してしまった」「お金が道に落ちている」などの状況で、誰の持ち物か質問したり答えたりする。	A: 誰のですか。 B: どれですか。 A: これです。これは誰のですか。 B: 私のです／私のじゃないです。	＊学習者の持ち物 ＊先生が作成したお札カードとコイン（一万円札、千円札、10円玉、5円玉） ことばカード a〜f（日本語） ことばカード a〜f（英語） コママンガ
Final Task　わかりません		
1 2 3 （ゴミ分別のトラブルを体験する） 「管理人さんが怒った様子で何か話しかけてくるが日本語がわからない」という状況を自力で切り抜ける。	・わかりません。 ・これですか。 ・ゆっくりお願いします。 ・あ、わかりました。 ・今日じゃないです。あしたです。	＊ビンが入っているゴミ袋 ＊「Trash Area」のサイン ＊ゴミの日を掲示した紙 ことばカード（日本語） ことばカード（英語） コママンガ

＊は教師が自分で準備するもの（CD-ROM には含まれていない）

Unit 3 なんじですか (p.25)
(What time is it?)

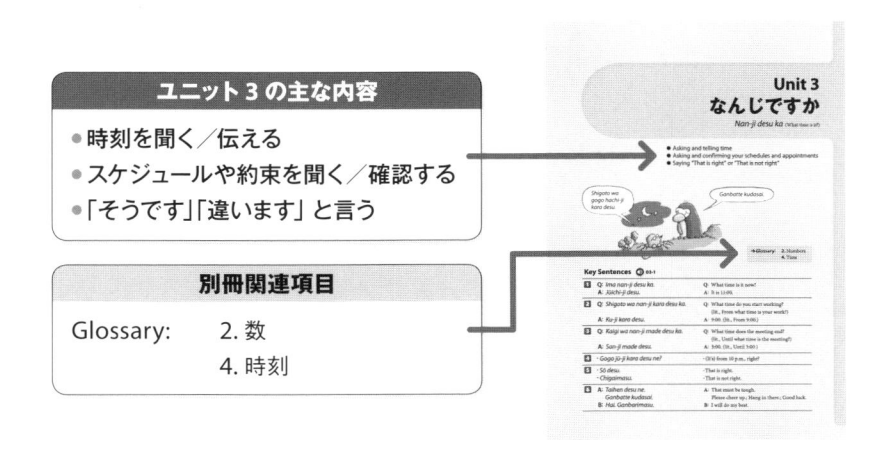

ユニット 3 の主な内容
- 時刻を聞く／伝える
- スケジュールや約束を聞く／確認する
- 「そうです」「違います」と言う

別冊関連項目
Glossary: 2. 数
4. 時刻

　ユニット 3 のテーマは「スケジュール」です。時刻やスケジュールを説明したり確認したりする活動を行います。すでに数字の言い方を知っている学習者には難しい活動ではありませんが、初めて数字を学ぶ学習者にとっては、相当なチャレンジになります。ユニット 3 では、トランプや新聞チラシを使った活動などを通して、数字、特に 1 ～ 12 が無理なく覚えられるようタスクを構成しました。Final Task では、自分のスケジュールがクラスで発表できるようになるはずです。また、「そうです」「違います」「大変ですね。がんばってください」などの便利な表現も紹介されます。

■ Key Sentences (p.25)　03-1

1 Q: いま何時ですか。
　A: 11 時です。

2 Q: 仕事は何時からですか。
　A: 9 時からです。

3 Q: 会議は何時までですか。
　A: 3 時までです。

4 ・午後 10 時からですね？

5 ・そうです。
　・違います。

6 A: 大変ですね。がんばってください。
　B: はい。がんばります。

Part 2　各ユニットの進め方

Task 1　**すうじ** *Sūji* (Numbers)

1　数字 (p. 26)　🔊 03-2

教材 数字絵カード

新しいことばを覚えるのは大変なので、ジェスチャー、あるいは数字絵カードを使って、以下のように少しずつ練習します。

(1～4)

まず、以下のようなジェスチャーをしながら、1～4の言い方を紹介する。

> 1 ……蚊に刺されて腕をかくような動作をしながら、"itchy" → 「いち」と発音し、指を1本立てる。
> 2 ……ひざを指さして "knee" → 「に」と発音し、指を2本立てる。
> 3 ……空の太陽を指さして "sun" → 「さん」と発音し、指を3本立てる。
> 4 ……あくびをして "yawn" → 「よん」と発音し、指を4本立てる。

それから、先生が指で数字を表し、学習者がその数字を言う。

> S：（Tが指を指を1本立て、数字を言うようにSに促す）いち。
> S：（Tが指を指を2本立て、数字を言うようにSに促す）に。
> S：（Tが指を指を3本立て、数字を言うようにSに促す）さん。
> S：（Tが指を指を4本立て、数字を言うようにSに促す）よん。

(5～8)

先生が以下のようなジェスチャーをしながら5～8の言い方を紹介する。

> 5 ……「さあ行こう」という仕草をして "go!" → 「ご」と発音し、指を5本立てる。
> 6 ……岩の絵を見せて "rock" → 「ろく」と発音し、指を6本立てる。
> 7 ……バナナの絵を見せて "banana − ba = nana" と板書 → 「なな」と発音し、指を7本立てる。
> 8 ……ハッチバックの車の絵を見せて "hatch" → 「はち」と発音し、指を8本立てる。

1～4と同じように、先生が指で数字を表し、学習者がその数字を言う。

(9～12)

> 9 ……「Q」と板書 → 「きゅう」と発音し、指を9本立てる。
> 10 ……ジュースの絵を見せ "Juice − ice = Ju" と板書 → 「じゅう」と発音し、指を10本立てる。
> 11 ……10＋1と板書 → 「じゅういち」と発音し、指で「11」を表す。
> 12 ……10＋2と板書 → 「じゅうに」と発音し、指で「12」を表す。

1～4と同じように、先生が指で数字を表し、学習者がその数字を言う。

なんじですか　Unit 3

2 カードゲーム：パートナーが持っている数字を当てましょう (p. 26)　03-3
教材 *トランプ

　学習者同士ペアになり、トランプを使って1から12までの数字を当てるゲームをして、時間表現に必要な数字の言い方を覚えます。ユニット3では、すべての活動で、時間を聞いたり伝えたり確認したりします。そのため、Task 1で数字の言い方を覚えれば、後の活動をスムーズに進めることができます。覚えきれない場合は、ボードに数字カードを貼っておくなどして、学習者のよりどころとします。

　また、このゲームのもうひとつの目的は、Yes/Noを述べるのに便利な表現「そうです」「違います」を身に付けることです。そのためには、ユニット2のTask 1 **2** のカードゲームと同様、学習者の主な注意が「数字を当てる」というゲームそのものに置かれることが重要です。点数制にしたり、時間を制限するなどしてゲーム性を高めるのも一案ですが、まず先生がゲームを真剣に楽しむことが雰囲気作りの決め手となります（ゲームのやり方は、ユニット2のTask 1 **2** の説明を参照）。

Task 2　なんじですか Nan-ji desu ka (What time is it?)

Words for the Task (p. 27)　03-4

　1:00〜12:00、4:30、9:30の言い方を紹介します。4時、9時は「よんじ」「きゅうじ」と発音しがちです。数字の「4（よん）」「9（きゅう）」とは発音が異なることを伝え、「よじ」「くじ」と発音するように注意します。

■ Pair Work お互いに時間を聞きましょう (p. 27)　03-5

　学習者2人でペアになり、1人はシートA (p. 27) を、もう1人はシートB (p. 36) を使います。2人で時刻を聞き合い、答えをシートの空欄に書き込みます。

　1分、2分、3分、10分、15分など、細かい単位の言い方を覚えるのはまだ難しいので、ここでは、「1時」「1時半」のように、30分ごとの時刻を練習します。

Task 3　なんじからですか Nan-ji kara desu ka (What time do you start?)

1 始まりと終わりの時刻を言いましょう (p. 28)　03-6

　まず、時計のイラストを見て、**Ex.** の「3時からです。4時半までです」「3時から4時半までです」の意味を理解します。次に(1)〜(6)の開始時刻・終了時刻の言い方を練習します。

2 チラシから開店／閉店時間を見つけましょう (p. 28)　A 03-7　B 03-8
教材 *営業時間が掲載されているチラシや広告など

　実際のチラシを使って営業時間を見つける活動をすると、意外な発見につながり、楽しいクラスになります。まず、先生が学習者に数枚のチラシを渡し、「何時からですか」「何時までですか」とたずね

ます。この段階では、「この店は何時からですか」のように主語を提示する文は扱いません。何について話しているのか（主語が何であるか）は、チラシを指さしたり手に取ったりして実際に示し、自然にコミュニケーションします。

本物のチラシに触れると、学習者は様々なことに興味を持ち、ユニット2で学んだ「何ですか」などを使って、何の店か質問してきたりします。「わかりません」「あ、わかりました」を使うチャンスにもなります。

その後、いま行った活動を振り返ります。テキストを開いて A B のチラシのイラストから開店時間と閉店時間を見つけ、下線部に答えを書き込みます。

Words for Tasks 4-5 and Final Task (p. 29) 🔊 03-9

教材 ことばカード Ex. ～ (11)、絵カード a ～ l

Task 4、Task 5、Final Task で使うことばを学びます。

新しいことばを学ぶとき、絵カードを使ったちょっとした工夫で、コミュニケーションの練習をすることもできます。例えば、「"朝ご飯"はどれですか。わかりますか。朝です。起きます。おはようございます。食べます。"朝ご飯"です」など、ジェスチャーを交えながらできるだけ自然な日本語で話しかけ、学習者は先生のことばをヒントに、絵カードの中から「あさごはん」を選ぶ、というような活動です。

この活動は語彙練習だけでなく、学習者の類推力を高めるトレーニングにもなります。また、学習者がわからないときは、ユニット2で学んだ「わかりません」「何ですか」「あ、わかりました」を使うチャンスにもなります。先生はユニット2のKey Sentence 6 (p. 15) を示すなどして、これらの表現を使うように促します。

意味がわかったら、短い時間に集中して覚えられるように、カードを使って以下のように段階的に練習します。

> ① 先生がボードにことばカードを貼り、学習者に絵カードを渡す。
> ② ボードに貼ったことばカードの下に、正しい絵カードを置くように学習者に指示する。
> ③ きちんとマッチングできたら、今度はことばカードをボードから外し、これを学習者に渡す。
> ④ 先生は絵カードをボードの違う位置に貼り直す。
> ⑤ 学習者は絵カードの下に、ことばカードを正しく置く練習をする。

その後、テキストを開いて (1) ～ (11) の日本語と絵をマッチングし、正しくことばを覚えたかどうか確認します。

なんじですか　Unit 3

Task 4　スケジュール (Schedule)

1　スケジュールを言いましょう (p. 30)　🔊 A 03-10　B 03-11　(スクリプト：p. 153)

教材　スケジュールのイラスト A B

　ボードにスケジュールのイラストを貼り、学習者が「仕事は9時からです」などと文を作ります。いままでは主語を提示しない形でコミュニケーションを行ってきましたが、この活動は「仕事は9時からです」「パーティーは6時からです」など、主語を示さないと意味が通じません。いままでよりやや複雑な文の形でコミュニケーションを行うので、注意しましょう。

2　Shadowing　CDと一緒に会話を言いましょう (p. 30)　🔊 03-12

教材　イラスト（もぐらさんとペンさん）

　毎日のスケジュールについて話をしていると、お互いに愚痴を言いたくなったり励ましてあげたくなったりすることがよくあります。この会話練習では、モール（もぐら）さんが午後8時から午前5時まで一晩中仕事をしていることを、学習者に気づかせてください。この設定がわかると、「大変ですね」「がんばってください」と自然に励ましたくなるようです。早い段階でこのようなコミュニケーションができるようになると、周りの日本人との関係もよりスムーズになるでしょう。状況がわかったら、テキストの会話文を見ながら、CDの音声に合わせてシャドーイングの練習をします。この練習では、スピードやイントネーション、表情の出し方まで、できるだけCDと同じように言ってみることが大切です。

3　友だちに勤務時間を聞いて、元気づけましょう (p. 30)

　今度は学習者同士でやりとりを行います。激務のもぐらさんを励ます表現を **2** で練習したばかりなので、感情を込めて励まし合うことができます。

Task 5　10時からですね？ *Jū-ji kara desu ne?* (From 10:00, right?)

■ Pair Work　お互いのスケジュールを聞いて、空欄を埋めましょう (p. 31)　🔊 03-13

　まず、CDを聞いて会話の流れを確認します。次に学習者2人でペアになり、1人はシートA (p. 31) を、もう1人はシートB (p. 37) を使って、会議やデートの開始時刻・終了時刻を質問し合います。聞いた内容を確認するときは、「〜ですね？」を使うことを学習者に意識させてください。終助詞の「ね」の意味がわかりにくいようであれば、Grammar 3 (p. 34) を読みます。

Part 2　各ユニットの進め方

Final Task　わたしの スケジュール　Watashi no sukejūru (My schedule)

1 数字と時刻 (p. 32)

（CD を聞いてリピートしましょう。それから、数字と読み方をマッチングしましょう。）

Task 3 までは「～時」「～時半」を使って架空のスケジュールについて話してきましたが、このタスクでは、**3** のプレゼンテーションで自分のスケジュールを発表します。その際、より詳しい時間が必要になる可能性があるので、まず 5 分単位で時間が言えるようにします。

A　03-14

教材　**Task 1 の数字絵カード**

Task 1 の数字ジェスチャーや数字絵カードを使ってヒントを与えながら、「10」「20」「30」「40」「50」を順に紹介していきます。このように導入していくと、印象に残って忘れにくくなります。大切なことは、学習者に考えさせ、思い出すチャンスを作ることです。

> ① 先生がボードに「10」と書き、学習者に「10」と発音するよう促す。ジュースの絵を横に貼る。
> ② 先生がボードに「20」と書き、ひざを指してからジュースの絵を指して、学習者に「20」と発音するよう促す。
> ③ 先生がボードに「30」と書き、「Sun」を指してからジュースの絵を指して、学習者に発音を促す。
> ④ 先生がボードに「40」と書き、あくびをしてからジュースの絵を指して、学習者に発音を促す。
> ⑤ 先生がボードに「50」と書き、"Go!" のジェスチャーをしてからジュースの絵を指して、学習者に発音するよう促す。

紹介が終わったら、10 から 50 まで全員でリピートするなどして、数字の発音に慣れるための練習をします。
「15」「25」「35」「45」「55」も同じように紹介していきます。

> ⑥ 先生がボードに「15」と書き、学習者に発音してみるよう促す。正しい発音が出てこなかったら、ジュースの絵を指してから "Go!" のジェスチャーをする。
> ⑦ 先生がボードに「25」と書き、学習者に発音してみるよう促す。正しい発音が出てこなかったら、ひざを指してからジュースの絵を指し、最後に "Go!" のジェスチャーをする。

同じやり方で、55 まで紹介します。紹介が終わったら、CD を聞いて 15 から 55 まで全員でリピートするなどして、数字の発音に慣れるための練習をします。
最後にテキストを開いて数字と読み方をマッチングし、覚えたかどうか確認します。

B　03-15

4:10、4:20、9:05、9:15 など、10 分または 5 分刻みの時刻の言い方を練習します。「10 分」～「50 分」は「ぷん」、「5 分」～「55 分」は「ふん」と発音することに注意します。
時刻の言い方に慣れたら、テキストを開き、時刻と読み方をマッチングして、覚えたかどうか確認します。

2 話の中から時刻を聞き取りましょう (p. 33)　🔊 A 03-16　B 03-17

A （田中さんのスケジュール）と B （タンさんのスケジュール）をCDで聞いて、それぞれ下線部に時刻を書き込みます。この練習は、次の 3 （自分のスケジュールを発表する）の準備です。

3 自分の毎日のスケジュールを作成し、クラスで発表しましょう (p. 33)

Hintsのことばを使って自分のスケジュールを作成し、クラスで発表します。

スケジュールの作成には時間がかかることが多いので宿題とし、次の授業で発表するといいでしょう。発表するときは、できるだけ書いたものを読まないように指導します。クラスの人数が多いときは、学習者2人でペアになって発表し合います。

Unit 3 の流れ

活動の内容	日本語	教材
Task 1　すうじ		
1 2 ジェスチャーを使って数字を覚えたり、トランプで数字当てゲームをする。	・数字1～12 ・そうです。 ・違います。	数字絵カード ＊トランプ
Task 2　なんじですか		
W 先生やCDの音声を繰り返して、「1～12時」「4時半」「9時半」の言い方に慣れる。 ・シートA・Bを使って、学習者がペアで時刻を聞き合う。	・1:00～12:00、4:30、9:30 ・Q: すみません。いま何時ですか。 　A: 1時です。	
Task 3　なんじからですか		
1 開始時間・終了時間の言い方を確認する。 2 広告チラシから営業時間を見つけ、伝える。	Q: 何時からですか。 A: ～時からです。 Q: 何時までですか。 A: ～時までです。	＊営業時間が掲載されているチラシや広告など
Words for Tasks 4-5 and Final Task		
先生のヒントから意味を類推したり、カードをマッチングしたりする。	仕事、会議、パーティー、デート、昼休み、朝ご飯、昼ご飯、晩ご飯、日本語のクラス、洗濯、掃除、買い物	ことばカード Ex.～(11) 絵カードa～l
Task 4　スケジュール		
1 予定のメモを見てスケジュールを伝える。 2 3 スケジュールを聞いて、忙しい友だちを励ます。	・「日本語のクラスは7時半から8時半までです。」など ・Q: 仕事は何時からですか。 　A: 午後8時からです 　Q: 何時までですか。 　A: 午前5時までです。 　Q: 大変ですね。がんばってください。 　A: はい、がんばります。	スケジュールのイラスト イラスト（もぐらさんとペンさん）
Task 5　10じからですね？		
シートA・Bを使って、学習者がペアでスケジュールを確認し合う。	Q: 会議は何時からですか。 A: 7時からです。 Q: 午前ですか、午後ですか。 A: 午前です。 Q: 午前7時からですね？ A: はい、そうです。	
Final Task　わたしの スケジュール		
1 5分刻みの時刻の言い方に慣れる 2 3 自分のスケジュールを作成し、クラスで発表する。	・10、20、30、40、50 ・5、15、25、35、45、55 ・「仕事は～時からです。～時までです。昼休みは～時から～時までです。」など	Task 1の数字絵カード

＊は教師が自分で準備するもの（CD-ROMには含まれていない）

Unit 4 かいもの (p. 39)
(Shopping strategies)

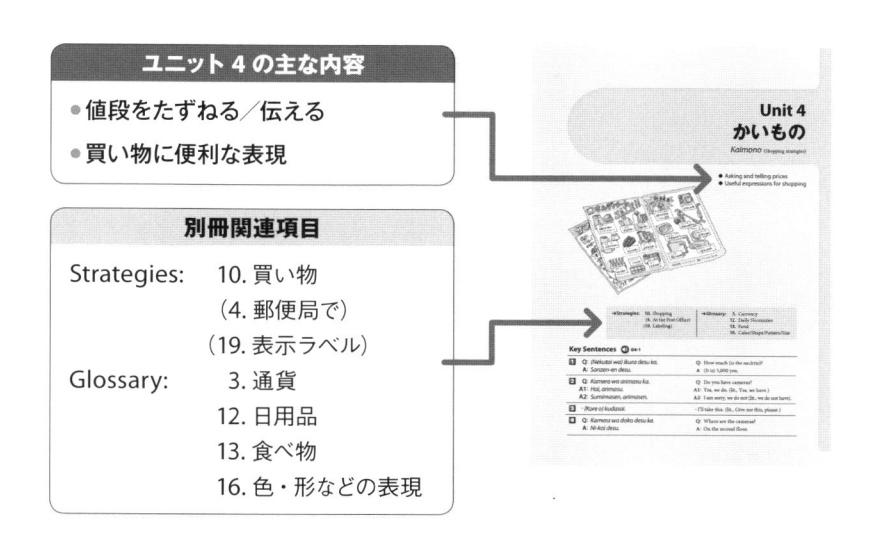

ユニット4の主な内容
- 値段をたずねる／伝える
- 買い物に便利な表現

別冊関連項目
Strategies: 10. 買い物
　　　　　　（4. 郵便局で）
　　　　　　（19. 表示ラベル）
Glossary: 　3. 通貨
　　　　　 12. 日用品
　　　　　 13. 食べ物
　　　　　 16. 色・形などの表現

　ユニット4のテーマは「買い物」です。スーパーマーケットなどのチラシを使って買い物リストを作ったり、限られた予算でプレゼントを買うなどの活動を通して、値段を聞き取ったり、売り場を確認する方略を身に付けます。最終タスクの買い物シミュレーションでは、わからない日本語で話しかけられてもコミュニケーションをあきらめず、自分のレベルに応じた日本語を相手から引き出すことを目指します。

■ Key Sentences (p. 39)　04-1

1　Q:（ネクタイは）いくらですか。
　　　A: 3,000円です。

2　Q: カメラはありますか。
　　　A1: はい、あります。
　　　A2: すみません、ありません。

3　・（これを）ください。

4　Q: カメラはどこですか。
　　　A: 2階です。

Part 2　各ユニットの進め方

Words for This Unit (p. 40) 🔊 04-2

教材 ことばカード Ex.～(11)、絵カード a～l

このユニットで使うことばを学びます。絵カードと文字カードを使ってマッチングしたり、コミュニケーションしながら、新しいことばをゲーム感覚で覚えていきます。（教え方：Unit 3「Words for Tasks 4-5 and Final Task」本書 p. 42 参照）

その後、テキストを開いて日本語と絵をマッチングし、正しくことばを覚えたかどうか確認します。

Task 1　いくらですか Ikura desu ka (How much is this?)

1 数字 (p. 41)

（CD を聞いてリピートしましょう。それから、数字と読み方をマッチングしましょう。）

A 🔊 04-3

1000～10000 の練習をします。先生が「せん」と言いながら「1000」とボードに書きます。同じように 2000 から 10000 まで発音しながら、ボードに書いていきます。このとき、「3000（さんぜん）」と「8000（はっせん）」は発音が特殊なので、違う色で書くなどして学習者に意識させます。また、学習者によっては 1000 を「いっせん」と読むと考える学習者もいます。実際にはそのように発音する場合もありますが、この段階では汎用性の高い「せん」で練習します。

先生が発音した数字を学習者が指示棒で指し示す、などの方法で一通り練習したら（教え方：Unit 2「Task 1」本書 p. 31 参照）、a～j から正しい読みを選んで（　）に記号を書き入れ、どのくらい覚えられたか確認します。

B 🔊 04-4

100～900 の練習をします。練習の仕方は **A** と同じです。100 の単位では、「300（さんびゃく）」「600（ろっぴゃく）」「800（はっぴゃく）」に気をつけて練習しましょう。

2 CD を聞いてお金を選びましょう (p. 42) 🔊 04-5 （スクリプト：p. 153）

教材 ＊おもちゃのコインやお札（多数）

まず、金額の言い方を以下のように紹介します。

> T：せんえん。（千円札[に見立てたもの]を1枚手にして）
> S：せんえん。
> T：にせんえん。（千円札を2枚手にして）
> S：にせんえん。

続けて、同様に先生が 100 円玉（に見立てたもの）を手にして発音し、学習者がリピートします。

次に、学習者にお札や硬貨を配り、以下のように話しかけて金額を聞き取る練習をします。「ください」「いくらですか」は、このユニットで初めて学ぶ大切なことばです。実際におもちゃのお金をやりとりしながら練習します。

かいもの　Unit 4

> T：1,000円ください。(Sに1,000円を渡すように促しながら)
> S：はい、どうぞ。
> T：100円ください。
> S：はい、どうぞ。
> T：300円ください。
> S：はい、どうぞ。
> T：いくらですか。(学習者の手もとに残っているお金を指して)
> S：30円です。

その後、テキストを開き、**2**の練習をします。CDを聞いて正しい答えを選び、値段の言い方を覚えたかどうか確認します。

3　Pair Work　パートナーに値段を聞きましょう (p. 42)　🔊 04-6

学習者同士ペアになり、1人がシートA (p. 42)、もう1人がシートB (p. 48) を見ながら、お互いに値段を質問し合って空欄を埋めます。「0円」の「ゼロ」はここで初めて学習します。

Task 2　カメラは ありますか　*Kamera wa arimasu ka* (Do you have cameras?)

Phrases for the Task (p. 43)

教材 ＊ビー玉のような手の中に隠れるもの

ゲームを楽しみながら、「ありますか」「あります」「ありません」の意味を理解します。

まず、先生が自分の手の中にビー玉などを隠し持ち、「あります」「ありません」の意味を示します。

> T：あります。(右手を開きながら言う。ビー玉は入っている)
> T：ありません。(左手を開きながら言う。ビー玉は入っていない)

次に「どちらの手に入っているかわかるかな」という顔をしながら、先生が左右どちらかの手にビー玉を隠し、学習者にどちらに入っているか当てさせます。

> T：ありますか、ありませんか。(右手を前に突き出しながら)
> S：あります。
> T：ありません。残念！(右手を開きながら)

もう一度ビー玉を隠し持ち、

> T：ありますか、ありませんか。(右手を前に突き出しながら)
> S：あります。
> T：そうです!! あります。(右手を開きながら)

その後、今度は学習者同士で、どちらの手にあるか当て合います。最後にテキストの絵を見て、「ありますか」「あります」「ありません」の意味を確認します。

■カードゲーム：パートナーに以下の品物を持っているかどうか聞きましょう (p. 43)

🔊 (Ex.1) **04-7**　(Ex.2) **04-8**

教材　**Words for This Unit** の品物の絵カード a ～ l　※学習者の数に応じて準備

2人か3人のグループで、品物の絵カードを持っているかどうか質問し合う活動です。

学習者を2人か3人のグループに分け、各グループのメンバーに絵が見えないように裏向きにしてa～lの絵カードを配ります（3人グループであればa～lのカードを3等分、2人グループであれば2等分して渡す）。このとき、配る前に意味ありげに絵カードを混ぜると、ワクワク感が高まります。先生は以下のようにやりとりして、ゲームのやり方を示します。

> T：S1さん、「ネクタイ」はありますか。
> S1：ありません。（「ネクタイ」のカードを探しながら）
> T：わかりました。
> T：S2さん、「ネクタイ」はありますか。
> S2：あります。（「ネクタイ」のカードを見つけて）
> T：ください。（「ネクタイ」のカードを渡すよう促す）
> S2：どうぞ。

やり方がわかったら、学習者同士で質問し合います。コミュニケーションをしているうちに会話の流れを忘れてしまう学習者もいるので、テキストのTask 2を読んで、会話の流れを確認します。

持ちカードがなくなったら、終わりです。

Task 3　デパートで *Depāto de* (At a department store)

Words and Phrases for the Task (p. 44)　🔊 **04-9**

教材　ことばカード（日本語）、ことばカード（英語）

この活動で必要となる表現を確認します。「～はありますか」「いくらですか」「ください」はすでに学習済みですが、もう一度テキストを見ながらCDをリピートして確認します。ことばカードはボードに貼っておき、活動中に学習者が混乱したときにヒントとして使います。

1 あなたはデパートに行きます。**Words for This Unit** の絵カードの中から買いたいものを2つ選んでください。(p. 44)

教材　**Words for This Unit** の品物の絵カード a ～ l

先生は、テキストの指示文を示しながら、以下のように日本語で状況を説明します。

> T：デパートで買い物をします。2つです。（指を2本立てて）
> 　　選んでください。ワイン？ 魚？ 2つ選んで。
> T：S1さん、選びましたか。2つありますか。
> S1：はい。あります。
> T：S2さんは？ 選びましたか。（以下、続ける）

かいもの　Unit 4

品物を 2 つ決めたら、そのカードを持って、**2** のタスクに進みます。

2 Tryout あなたはいま、デパートにいます (p. 44)

教材 デパートのイラスト、コママンガ、*マグネット（人に見立てる）、*エレベーターの絵、*「Information Desk」のサイン

まず、デパートの階数の言い方を紹介します。

> T：どこですか。（デパートのイラストを示し）
> S：デパートです。
> T：地下 1 階。（デパートのイラストを指しながら、階数を言うようにジェスチャーで促す）
> S：地下 1 階、1 階、2 階、3 階、4 階。
> T：インフォメーションデスクです。（デパートの 1 階に Information Desk のサインを貼る）
> T：S1 さん、ちょっとここに来てください。（**1**で S1 が選んだ品物の絵カードを持って、デパートの絵を貼ったボードの前に来るように促す）
> T：これは S1 さんです。（マグネットを「Information Desk」のサインの下に置く）

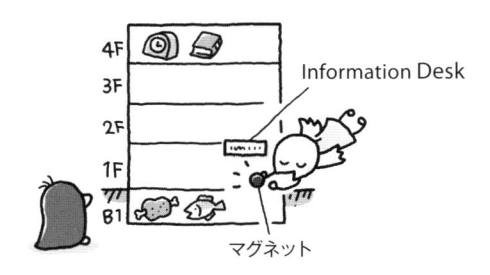

以上のように先生が状況を説明すると、学習者は自分がデパートの 1 階のインフォメーションデスクにいる設定であることが理解できます。

A インフォメーションデスクで

先生が案内係の役になり、学習者は自分の選んだ品物があるかどうかたずねます。

> T：いらっしゃいませ。何かお探しでしょうか。
>   （S1 がキョトンとしていたら、ボードに貼ってあることばカードから適当な表現を使うように促す）
> S1：すみません、テレビはありますか。
> T：はい、ございます。（「ます」をやや強調して発音し、重要なことばであることを意識させる。S1 がキョトンとしていたら、同じようにボードを示す）
> S1：（テレビは）どこですか。
> T：テレビは 3 階でございます。そちらの靴売り場をまっすぐ行くとエレベーターがございますので、ご利用ください。（自然な速さで言う。学習者はわからない）
> S1：すみません。わかりません。テレビはどこですか。
> T：3 階でございます。（指を 3 本立てて）

このような流れで活動を進めると、学習者は状況を理解し、自力で目的を達成します。ここで大切なことは、わからない日本語で話しかけられてもあきらめないこと、自分のレベルに応じた日本語を相手から引き出す方略を身に付けることです。また、学習者が「自転車」「水」「パソコン」を選んだ場合、イラストのデパートには売っていないので買うことができません。その場合、先生は以下のように応対します。

> S：すみません、自転車はありますか。
> T：申し訳ございません。あいにく自転車はこちらでは扱っておりません。

このようなやりとりをしたら、学習者には、もうひとつの品物を買うことにして、はじめからやり直すよう促します。

買いたいものがあることがわかったら、次に売り場に行って買い物をします。

> T：エレベーターです。（エレベーターの絵をデパートのイラストの1階に配置する）
> 　1階です。これはS1さんです。（マグネットを見せ、1階に配置する）
> 　ドアが開きます。S1さんは乗ります。（マグネットをエレベーターの絵に乗せる）
> 　ドアが閉まります。2階です。3階です。（マグネットとエレベーターを3階まで動かす）
> 　チーン。（エレベーターのベルの音をまねて、ドアが開く様子を動作で示す）
> 　S1さんは降ります。（マグネットをエレベーターから下ろす）

学習者は「開きます」「乗ります」などのことばをまだ知りません。先生は、学習者が意味を理解できるように、ひとつひとつの動作を明確に行うようにします。

B 売り場で

売り場に到着したら、先生は売り場の人になります。

> T：いらっしゃいませ。何かお探しでしょうか。（売り場の人の口調で）
> S1：すみません、テレビはありますか。
> T：どういったテレビをお探しでいらっしゃいますか。（自然なスピードで）
> S1：すみません、わかりません。テレビはありますか。
> T：はい、ございます。こちらでございます。（デパートの3階にあるテレビの絵を示す）
> S1：これ、いくらですか。
> T：こちらは、5万円でございます。
> S1：これをください。
> T：はい、ありがとうございます。

3 Review 会話を完成させましょう (p. 45)

2で体験した活動を振り返ります。下線部に正しい日本語を書き入れます。書いたり読んだりすることによって、より深く記憶に残すことができます。

かいもの　Unit 4

4　CD Simulation　CDと会話をしましょう (p. 45)　🔊 A 04-10　B 04-11
教材　コママンガ

CDを相手に 3 の会話をします。合図の音が出たら、話します。2 での体験と同じ流れの会話をもう一度整理された形で行うことで、よりスムーズに話せるようにします。2 のコママンガを見ながら練習すると、状況がよりわかりやすくなります。

Final Task　プレゼント (Present)

（あなたは家族の1人にプレゼントを買います。）

魅力的な品物がわかりやすく紹介されているチラシ、カタログ、雑誌などを、なるべくたくさん揃えます。のりとはさみは学習者より少ない数だけ用意します（学習者が5人であれば3つぐらい）。

1　家族のために、チラシの中から最高のプレゼントを選んでください。選んだら、それを切り取って下のショッピングメモに貼り付け、値段を書きましょう (p. 46)

教材　*いろいろな品物が載っているチラシ、*のり、*はさみ

■必要であれば以下の表現を使ってください。

> ・はさみをください。
> ・のりをください。

学習者はまず指示文を読んで、状況を理解します。状況がわかったら、先生は以下のように話しかけます。

> T：家族にプレゼントします。ここからプレゼントを選んでください。（用意したチラシ類を配る）
> T：家族にプレゼントします。ここからプレゼントを選んでください。（さらに配る）
> S1：先生、これは何ですか。
> T：それは「指輪」です。S2さんは？プレゼントは何ですか。選んでください。
> S2：先生、これは何ですか。
> T：ちょっと、いいですか。（Tがチラシを手に取って）あ、これは「手帳」です。

他の学習者も同じように、家族への最高のプレゼントを選びます。選んだら切り取ってショッピングメモに貼り付けるよう、以下のように示します。

> T：みなさん。これは私のプレゼントです。切ります。貼ります。
> 　　（S全員が注目していることを確認してから、切り取ってTの買い物リストに貼り付ける）
> T：これは「のり」です。これは「はさみ」です。（「nori」「hasami」と板書する）
> 　　はい、じゃ、どうぞ。（「続けてください」という動作をしながら）

先生の発言と行動から、学習者は「プレゼントを決めたら、チラシから切り取ってショッピングメモに貼り付ける」という手順を理解します。このとき、のりとはさみを学習者の数より少ない数にしておくと、あちこちで「のりはどこですか」「はさみをください」という会話が自然と聞かれるようになります。

次にプレゼントの値段を話題にします。

> T：S1さん、それはいくらですか。
> S1：13,000円です。（Tは「¥13,000」と板書する）
> T：S1さんはここに書いてください。（Sがショッピングメモに「¥13,000」と書く）

このようなやりとりをしながら、学習者全員の金額を板書していき、最後に合計を出します。足し算は全員で行い、先生がおもちゃのお金を渡します。

> T：いくらですか。
> T：ゼロたすゼロたす5たす7は？
>   （「0＋0＋5＋7＝」と書き、全員で考えるように促しながら、1の位を足し算する）
> S：ゼロたすゼロたす5たす7は……12です。

同様に、10・100・1000の位ごとに全員で足し算をして合計を出したら、おもちゃのお金を渡します。

> T：いくらですか。
> S全員：53,400円です。
> T：お金、ありますよ。どうぞ。いくら、ありますか。（S1にお金を渡し、数えるように促す）
> S1：1,000、2,000、3,000……52,300円。
> T：ええっ!?大変！みなさんのプレゼントはいくらですか。
> S全員：53,400円です。
> T：お金は52,300円。みなさんのプレゼントは53,400円。（「どうする？」というように、クラスを見回す）

合計金額より少ないお金を渡すと、「それはいくらですか」「それはちょっと…」などと学習者同士で交渉するチャンスになります。学習者が「高いです」と言いたいようであれば、「たかいです (takai desu) expensive」と板書します。

この活動のとき、先生が「ありますか」「いくらですか」「どこですか」「〜円」をできるだけたくさん使って学習者に話しかけることが大切です。新しいことばを学んでいる過程では、学習者は何度でもそのことばを聞きたいものです。しつこいと思えるほど繰り返しても、決して邪魔にはなりません。積極的に何度も繰り返しましょう。

2 デパートに行って、買い物をしましょう

教材 ＊Task 3 で使った教材

Task 3と同様、デパートに行き、買い物をします。

かいもの　Unit 4

Unit 4 の流れ

活動の内容	日本語	教材
Words for This Unit		
先生のヒントから意味を類推したり、カードをマッチングしたりする。	ネクタイ、シャツ、ズボン、スカート、肉、水、魚、ワイン、自転車、カメラ、パソコン、テレビ	ことばカード Ex. ～ (11) 絵カード a ～ l
Task 1　いくらですか		
1 1000 ～ 10000、100 ～ 900 の数字の言い方を確認する。 2 おもちゃのお金をやりとりしたりして、金額の言い方に慣れる。 3 シート A・B を使って、物の値段を聞き合う。	・100 円～ 10,000 円 ・Q:（～は）いくらですか。 　A: 10,000 円です。	＊おもちゃのコインやお札（多数）
Task 2　カメラは ありますか		
P 相手がビー玉を持っているか当てる。 ・品物の絵カードを持っているか質問し合い、カードをやりとりする。	・ありますか。/ あります。/ ありません。 ・A: ネクタイはありますか。 　B: はい、あります。/ いいえ、ありません。 　A: ください。/ わかりました。 　B: はい、どうぞ。	＊ビー玉のような手の中に隠れるもの Words for This Unit の品物の絵カード a ～ l
Task 3　デパートで		
1 2 3 4 （「買い物」をリアルに体験する） ・デパートに行って売り場を探し、ほしい物を買う。 ・店員の話の中から、自分に必要なキーワードを聞き取る	・カメラはありますか。 ・カメラはどこですか。 ・いくらですか。 ・ください。 ・地下 1 階～ 4 階	ことばカード（日本語） ことばカード（英語） Words for This Unit の品物の絵カード a ～ l デパートのイラスト コママンガ ＊マグネット（人に見立てる） ＊エレベーターの絵 ＊「Information Desk」のサイン
Final Task　プレゼント		
1 広告チラシの中から家族に最高のプレゼントを選び、ショッピングメモを作成する。 2 ショッピングメモを持って、Task 3 と同様にデパートで買い物する。	・～はありますか。 ・～はどこですか。 ・いくらですか。 ・～円です。 ・ください。 ・地下 1 階～ 4 階	＊いろいろな品物が載っているチラシ ＊のり ＊はさみ ＊Task 3 で使った教材

＊は教師が自分で準備するもの（CD-ROM には含まれていない）

Unit 5　おきなわに いきます (p. 49)
(I am going to Okinawa)

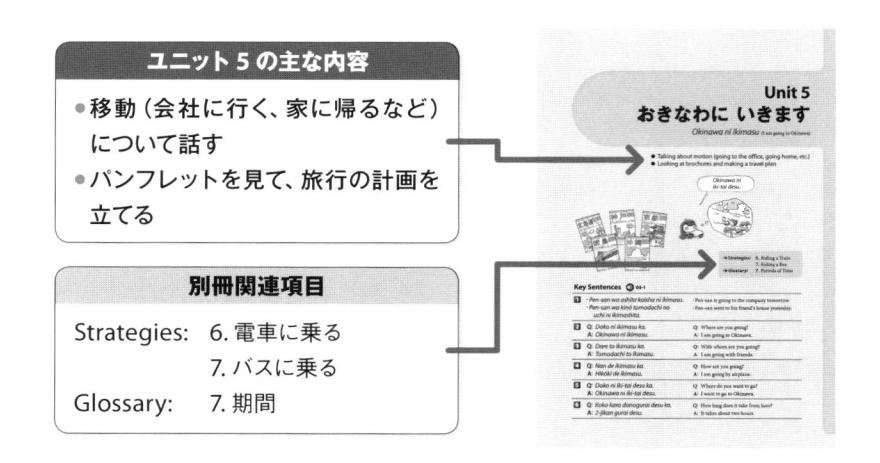

ユニット 5 の主な内容
- 移動（会社に行く、家に帰るなど）について話す
- パンフレットを見て、旅行の計画を立てる

別冊関連項目
Strategies:　6. 電車に乗る
　　　　　　 7. バスに乗る
Glossary:　　7. 期間

　ユニット 5 のテーマは「旅行の計画」です。実際の旅行パンフレットや日本地図を使って自分の行きたい場所を選び、旅行プランを立てます。旅行先を選ぶことに集中して楽しくコミュニケーションしながら、「行きます」「行きたいです」「どこですか」「ここからどのくらいですか」などの日本語が自然と出てくるようなタスクの流れになっています。「旅行に行くこと」がテーマなので、このユニットでは「来ます」は特に練習しませんが、Self-check (p. 55) で「行く・帰る・来る」が同じ文法カテゴリーであることが認識できます。

■ Key Sentences (p. 49)　05-1

1. ・ペンさんはあした会社に行きます。
   ・ペンさんはきのう友だちのうちに行きました。

2. Q: どこに行きますか。
   A: 沖縄に行きます。

3. Q: 誰と行きますか。
   A: 友だちと行きます。

4. Q: 何で行きますか。
   A: 飛行機で行きます。

5. Q: どこに行きたいですか。
   A: 沖縄に行きたいです。

6. Q: ここからどのぐらいですか。
   A: 2 時間ぐらいです。

おきなわに いきます　Unit 5

Words for This Unit　(p. 50)　🔊 05-2

教材 ことばカード Ex. ～ (9)、絵カード a ～ j

絵カードとことばカードを使ってマッチングしたりコミュニケーションしながら、新しいことばをゲーム感覚で覚えていきます。（教え方：Unit 3「Words for Tasks 4-5 and Final Task」本書 p. 42 参照）

その後、テキストを開いて日本語と絵をマッチングし、正しくことばを覚えたかどうか確認します。

Task 1　ここ・そこ・あそこ　Koko/Soko/Asoko (Here / There / Over there)

■ 空欄に「ここ」「そこ」「あそこ」を入れてください　(p. 50)

教材 **Words for This Unit** の絵カード a ～ j

まず、教室内に小さい町を作ります。**Words for This Unit** の絵カード（会社、学校、スーパー、家などの「場所」のカード）を教室のあちこちに貼り、次のように質問します。

T：スーパーはどこですか。（Tに近いところに貼ってある）
S：そこです。
T：学校はどこですか。（Sの机の上に貼ってある）
S：ここです。
T：会社はどこですか。（TからもSからも遠いところに貼ってある）
S：あそこです。

「ここ」「そこ」「あそこ」の学習で大切なことは、学習者が「自分」「相手」「示されている場所」の3つの位置関係を実感することです。位置関係を意識して練習したら、テキストを開き、①～③の空欄に「ここ」「そこ」「あそこ」を入れて文を完成させます。

教室に貼った会社、学校、スーパー、家などの絵カードは、次の Task 2 でも使うので、そのまま貼っておきます。

Task 2　スーパーに いきます　Sūpā ni ikimasu (I am going to a supermarket)

Words for the Task　(p. 51)　🔊 05-3

教材 ことばカード (1) ～ (10)、絵カード (1) ～ (10)

このタスクで必要なことばです。CD を聞いてリピートしましょう。

絵カードとことばカードを使ってマッチングしたりコミュニケーションしながら、新しいことばをゲーム感覚で覚えていきます。（教え方：Unit 3「Words for Tasks 4-5 and Final Task」本書 p. 42 参照）

1 Tryout 先生の言う通りに動きましょう (p. 51)

教材 Words for This Unit の絵カード a 〜 j、絵カード (1) 〜 (10)

「〜に行ってください」という先生の指示に従って、学習者が実際に移動します。

> T：S1 さん、スーパーに行ってください。
> S1：？？
> T：S1 さん、スーパーに行ってください。
> 　（ジェスチャーで促す。S1 は「スーパー」の絵カードが貼ってあるところへ歩き出す）
> T：S1 さんは、スーパーに行きます。スーパーに行きます。スーパーに行きます。
> 　（T は、S1 がスーパーに向かっている様子を描写しつづける）
> T：S1 さんは、スーパーに行きました。
> 　（S1 がスーパーに到着したことを描写する）

実際に移動したら、次のようにクラスに質問し、答えを引き出します。

> T：S1 さんは、どこに行きましたか。
> S：スーパー。
> T：そうです。S1 さんは、スーパーに行きました。

次に他の学習者が移動します。

> T：S2 さん、会社に行ってください。バスで行ってください。
> S2：？？
> T：バスで行ってください。
> 　（S2 に「バス」の絵カードを渡す。S2 はそのカードを持って、「会社」の絵カードが貼ってあるところへ歩き出す）
> T：S2 さんは、会社に行きます。バスで行きます。会社に行きます。
> 　（T は、S2 がバスで会社に向かっている様子を描写しつづける）

　S2 が「会社」に移動したら、先生は「スーパー」のときと同じように「S2 さんは、どこに行きましたか」とクラスに質問し、答えを引き出します。その後、(6) 〜 (10) の人の絵カードから 1 枚渡して「友だちと行ってください」などと誰かと一緒に行く練習もします。

　このように、教室内に貼られた「スーパー」や「病院」などの絵を行き先にして実際に移動すると、学習者は体験を通して新しい日本語を身に付けることができます。また、先生の話した日本語がどんな意味なのか、現場で実際に起きていることから意味を類推する力も身に付きます。

　大切なことは、学習者が意味を類推しやすいようにジェスチャーを交えて話しかけること、学習者の記憶に残るよう「〜さんは〜に行きます」「〜で行きます」「〜と行きます」と何度も繰り返し聞かせることです。学習過程にある文は、何度聞いても飽きることはありません。しつこいぐらいに聞かされて、やっと記憶に残るものです。

　慣れてきたら、「〜さん、どこに行きますか」「誰と行きますか」と先生が質問して、学習者が行き先や一緒に行く人を選んでもいいでしょう。「行ってください」に関しては、この段階では、学習者が使えるようになる必要はありません。聞いて理解できれば十分です。

2 Review 先生の質問に答えましょう (p. 51)

1 で体験した活動を振り返って、(1)〜(3) の空欄に答えを書きます。

Task 3 リズム・イントネーション (Rhythm / Intonation)

■ **CDを聞いてリピートしましょう** (p. 52) 　🔊 05-4 　(スクリプト：p. 153)

教材 リズム・イントネーションの図、*指示棒

図をボードに貼って、以下のように発音練習をします。

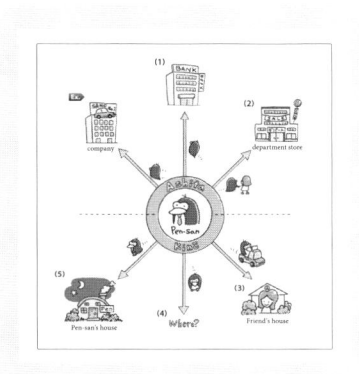

① 先生が図の Ex. を指し示しながら「ペンさんは／あした／かいしゃに／いきます」と発音し、学習者はこれをリピートする。発音するとき、2拍の等間隔のリズムになるように、先生は手拍子を打ったり、指を鳴らしたりする。
② 次に、同じ文を先生と学習者が一緒に4〜5回繰り返す。その間、先生はリズムを刻み続ける。
③ 最後に、先生は何も言わずリズムを刻み、学習者に繰り返すように促す。学習者だけが、リズムに合わせて「ペンさんは／あした／かいしゃに／いきます」と発音する。
④ 以下、(1)〜(5) も同じように、リズムに気をつけて練習する。

(1) ペンさんは／あした／ぎんこうに／いきます。
(2) ペンさんは／あした／デパートに／いきます。／ともだちと／いきます。
(3) ペンさんは／きのう／ともだちのうちに／いきました。／タクシーで／いきました。
(4) ペンさんは／きのう／どこに／いきましたか。
(5) ペンさんは／きのう／うちに／かえりました。

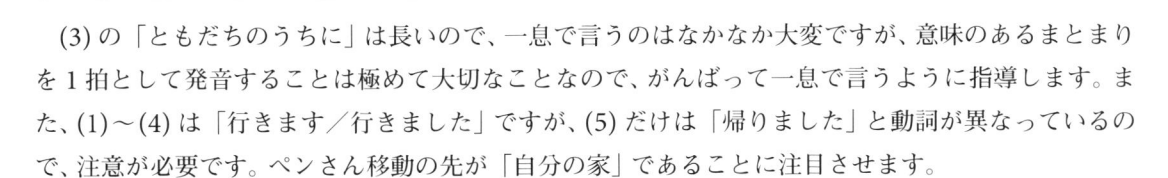

　(3) の「ともだちのうちに」は長いので、一息で言うのはなかなか大変ですが、意味のあるまとまりを1拍として発音することは極めて大切なことなので、がんばって一息で言うように指導します。また、(1)〜(4) は「行きます／行きました」ですが、(5) だけは「帰りました」と動詞が異なっているので、注意が必要です。ペンさん移動の先が「自分の家」であることに注目させます。

　この練習は発音練習ですが、もうひとつの隠れた目的があります。リズムに注意しながら文を何度も繰り返すことによって、文を覚えたり、文構造の確認をすることです。「覚えなくちゃいけない」と思えば、同じ文を何度も繰り返すことは単純でつまらない練習にすぎませんが、「リズムに合わせてきれいに言えるようにしよう」と思えば、さほど苦にはなりません。むしろ、きれいに言えるかどうかのチャレンジは、ちょっとしたスリルも味わえるようで、意外にもクラスは盛り上がります。

　注意しなくてはいけないことは、「ペンさんはあした友だちとデパートに行きます」のような長い文は、この段階では、話すときの目標にはしないということです。長い文を思い出しながら話そうとすれば、話すスピードは一気に遅くなり、滑らかさが失われます。ここでは「あしたデパートに行きます」「友だちと行きます」「タクシーで行きました」などの短い文をできるかぎり自然なスピードで

話すことを目指します。「ペンさんはあした友だちとデパートに行きます」のようなフルセンテンスを練習したい場合は、短文の作文練習として書く練習にするといいでしょう。

最後にCDの電子音に合わせて、テンポよく発音練習します。

Task 4　どこに いきたいですか　*Doko ni iki-tai desu ka* (Where do you want to go?)

Words and Phrases for the Task　(p. 53)　05-5

教材 ことばカード（日本語）、ことばカード（英語）

この活動で必要になる表現を確認します。テキストを見ながらCDをリピートして、意味と音声を確認します。ことばカード（日本語／英語）はボードに貼っておき、活動中に学習者が混乱したときにヒントとして使います。

1　あなたは、日本国内の旅行の計画を立てています　(p. 53)

教材 ＊大きめの日本地図、＊旅行パンフレット（多数）

旅行パンフレットの中から旅行したいところを選び、「どこにあるか」「何で行くか」など、情報を得る活動を行います。学習者が「行ってみたい」と心が動くようなパンフレットがあれば最高です。大きく美しい写真が載っているなど、学習者がワクワクしながら見ることができれば、この活動は90％成功です。

(1) 旅行パンフレットの中から行きたい場所を選びましょう

まず、先生が学習者に旅行のパンフレットを配りながら、話しかけます。

> T：どこに行きたいですか。（パンフレットを配る）
> T：どこに行きたいですか。（どんどんパンフレットを配る）
> T：どこに行きたいですか。（さらにどんどんパンフレットを配る。Sがキョトンとしていたら、ボードに貼ってあることばカードから適当な表現を使うように促す）
> S：（しばらくいろいろなパンフレットに見入っている）
> T：S1さん、どこに行きたいですか。
> S1：どこですか。（パンフレットをひとつ手にしてTに見せる）
> T：それは……「日光」です。
> T：S2さんは？どこに行きたいですか。

全員の旅行先が決まったら、次に進みます。

(2) 先生に以下の質問をしましょう

・地図上のどこか

・どうやって行くか

・どのぐらい時間がかかるか

先生は以下のように話しかけ、学習者から自発的な質問を引き出します。

```
 T：日光はどこですか。わかりますか。（日本地図を見せて）
S1：わかりません。どこですか。
 T：日光は……ここです。（日本地図の日光を指しながら）
    S1 さん、日光に行きたいですか。
S1：はい、行きたいです。
 T：S1 さんは、いまどこですか。（日本地図を見せて）
S1：ここです。（日本地図の自分のいる町を指す）
 T：ここから日光まで、うーん、遠いですね。（日本地図を使って距離が遠いことを理解させる）
S1：何で行きますか。
 T：電車で行きます。
S1：ここからどのぐらいですか。
 T：2 時間半ぐらいです。
```

2 **パートナーに、どこに行きたいか聞きましょう** (p. 53)

　自分の行きたい旅行先の情報が得られたら、今度は学習者同士ペアになって、同じように話し合います。

Final Task　わたしの りょこうプラン　*Watashi no ryokō puran* (My travel plan)

1 **CD を聞いて質問に答えましょう** (p. 54)　　A 05-6　B 05-7　（スクリプト：p. 154）

　A（ペンさんの旅行プラン）と B（田中さんの旅行プラン）を聞いて、それぞれ (1)～(5) の質問に答えます。

2 **あなたの旅行プランについて、クラスで発表しましょう** (p. 54)

教材　＊はさみ、＊のり、＊旅行パンフレット（多数）、＊日本の白地図（学習者の人数分）

　学習者が自分の旅行プランを作成し、クラスで発表します。この Final Task は Task 4 と連動しているので、Task 4 で使用したパンフレットをここでも活用します。パンフレットの写真を切り取って白地図に貼ったり、同行する人の似顔絵を書き込んだりして、自分の旅行地図を作成し、発表の際に使います。旅行先の情報を共有できるので、クラス全員が発表を楽しむことができ、いろいろな質問も自然に出てくるでしょう。

　旅行プランの作成には時間がかかることが多いので、宿題にして次の授業で発表させるといいでしょう。発表するときは、できるだけ書いたものを読まないように指導します。

Part 2　各ユニットの進め方

Self-check Sentence Patterns (1) －Movement Verbs－ （移動を表す動詞）

▶ 自分で文を作ってみましょう (p. 55)

教材 Sentence Patterns の図、*指示棒

　文の形を視覚的に確認することによって文法知識を整理し、応用力をつけることを目的としています。学習者は図を見て、助詞や語順を意識しながらいろいろな文を作ります。まず、以下のように先生がモデルを示します。

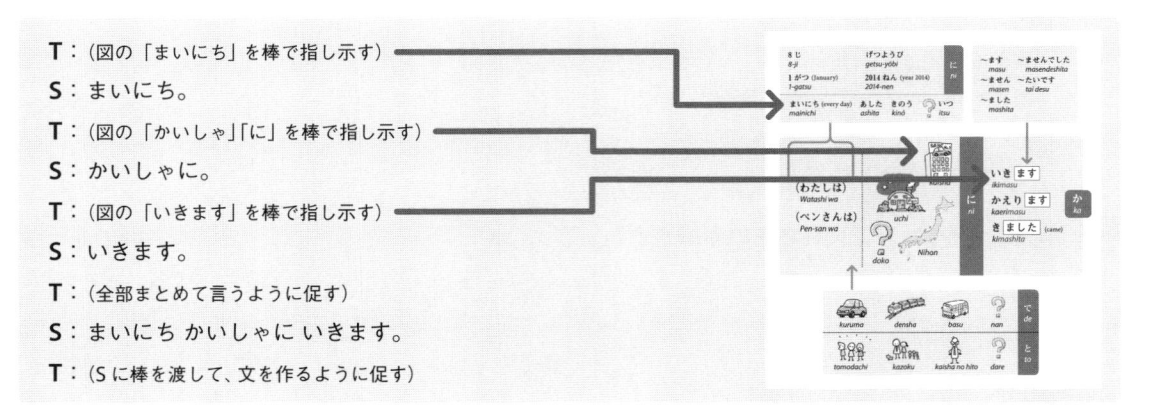

T：（図の「まいにち」を棒で指し示す）
S：まいにち。
T：（図の「かいしゃ」「に」を棒で指し示す）
S：かいしゃに。
T：（図の「いきます」を棒で指し示す）
S：いきます。
T：（全部まとめて言うように促す）
S：まいにち かいしゃに いきます。
T：（Sに棒を渡して、文を作るように促す）

　図の目的地の部分には、「会社」「うち」「日本」「どこ」が書かれていますが、これらはあくまでサンプルなので、「駅」「病院」など、学習したことばを使って自由に文を作ります。

　Task 3の「リズム・イントネーション」と同じように、ここでは「ペンさんは毎日友だちとバスで会社に行きます」のようなフルセンテンスでコミュニケーションをすることが目的ではありません。フルセンテンスは書く場合にとどめ、実際のやりとりでは「毎日会社に行きます」「バスで行きます」「友だちと行きます」などの短い文を使うように指導します。

　また、このユニットの目的は旅行について語ることなので、「来ました」(Unit 1で既習) は練習していませんが、「来ます」が「行きます・帰ります」と同じ仲間の文であることを、ここで文法知識として整理します。

▶ 以下の文を日本語に訳しましょう (p. 55)

　(1)～(5) の英文を日本語に訳します。移動の動詞（行く・帰る・来る）の基本的な文法を正確に理解したかどうか、確認することができます。

Unit 5 の流れ

活動の内容	日本語	教材
Words for This Unit		
先生のヒントから意味を類推したり、カードをマッチングしたりする。	うち、会社、駅、銀行、郵便局、スーパー、学校、デパート、病院、レストラン	ことばカード Ex.～(9) 絵カード a～j
Task 1　ここ・そこ・あそこ		
「ここ」「そこ」「あそこ」の位置関係を体験する。	・スーパーはここです。 ・駅はそこです。 ・ペンさんのうちはあそこです。	Words for This Unit の絵カード a～j
Task 2　スーパーに いきます		
1 先生の指示（～に行ってください）に従って、教室内のいろいろな場所へ移動し、「行きます/行きました」を体験する。 2 質問に答える。	・（乗り物）車、電車、タクシー、バス、飛行機 ・（人）友だち、会社の人、家族、彼、彼女 ・Q: どこに行きましたか。 　A: ～に行きました。 ・Q: 何で行きましたか。 　A: ～で行きました。 ・Q: 誰と行きましたか。 　A: ～と行きました。	ことばカード (1)～(10) 絵カード (1)～(10) Words for This Unit の絵カード a～j
Task 3　リズム・イントネーション		
意味のまとまりを一息で言えるよう、リズムに合わせてテンポよく繰り返し発音練習する。	・ペンさんは/あした/会社に/行きます。 ・ペンさんは/きのう/友だちのうちに/行きました。　など	リズム・イントネーションの図 ＊指示棒
Task 4　どこに いきたいですか		
1 2 旅行パンフレットから旅行の計画を立て、旅行先の情報について学習者がペアで質問し合う。	・どこに行きたいですか。 ・～に行きたいです。 ・何で行きますか。 ・ここからどのぐらいですか。 ・1時間、2時間、1時間半	ことばカード（日本語） ことばカード（英語） ＊大きめの日本地図 ＊旅行パンフレット（多数）
Final Task　わたしの りょこうプラン		
1 ペンさん・田中さんの旅行プランを聞いて質問に答える。 2 Task 4で考えた自分の旅行プランについて、地図を作ってクラスで発表する。	「私は夏休みに沖縄に行きます。友だちと行きます。飛行機で行きます。うちから3時間半ぐらいです。」など	＊はさみ ＊のり ＊旅行パンフレット（多数） ＊日本の白地図（学習者の人数分）

＊は教師が自分で準備するもの（CD-ROMには含まれていない）

Unit 6 でんわ (p. 59)
(Using telephone strategies)

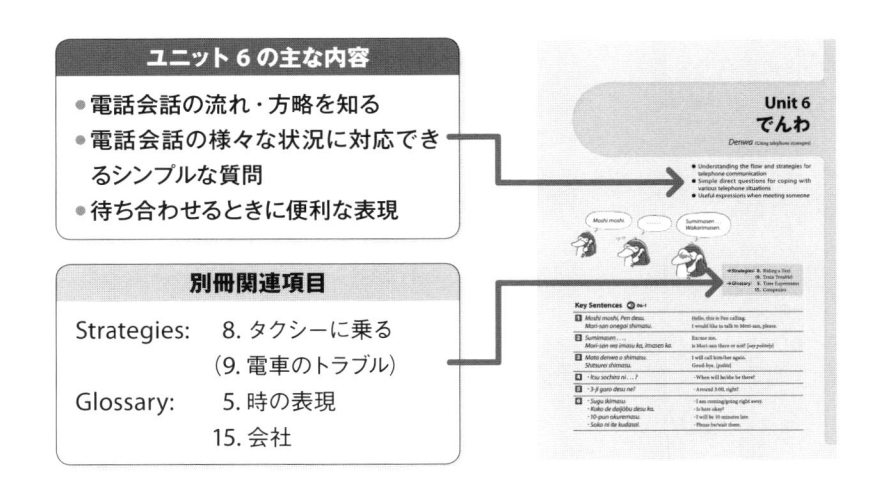

ユニット6の主な内容
- 電話会話の流れ・方略を知る
- 電話会話の様々な状況に対応できるシンプルな質問
- 待ち合わせるときに便利な表現

別冊関連項目
Strategies:　8. タクシーに乗る
　　　　　　（9. 電車のトラブル）
Glossary:　　5. 時の表現
　　　　　　15. 会社

　電話での会話は話す相手が見えないため、通常のコミュニケーションより難しいものです。実際、初級の学習者は、電話でのコミュニケーションは難しすぎるとして、はじめからあきらめてしまいがちです。ユニット6では、日本語にまだ不慣れな学習者が、電話で必要最小限の意思の疎通を行うための攻略方法を紹介します。わからない日本語で話しかけられてもコミュニケーションをあきらめず、学習者が自分のほしい情報を相手から引き出せるようになることを目指します。

　また、「今週」「先週」や曜日、時刻などの「時の表現」に慣れることも、もうひとつの大切な目的です。これらのことばを覚えるのはなかなかエネルギーが要ることですが、ユニット6では、いつ電話をしたらいいのか確認するなどの活動を通して、自然と慣れていくことができるでしょう。

■ Key Sentences (p. 59)　06-1

1. もしもし、ペンです。
   森さんお願いします。
2. すみません…、
   森さんはいますか、いませんか。（丁寧に）
3. また電話をします。
   失礼します。
4. ・いつ、そちらに…？
5. ・3時ごろですね？
6. ・すぐ行きます。
   ・ここでだいじょうぶですか。
   ・10分遅れます。
   ・そこにいてください。

でんわ　Unit 6

Task 1　しゃちょうは いますか　Shachō wa imasu ka (Is the president there?)

Phrases for the Task (p. 60)

まず、絵を見て「います」「いません」の意味を類推します。「います」の場合は類似の意味を持つ「あります」があるため、絵だけで意味をきちんと理解するには情報が足りません。Grammar 1 (p. 70) を読んで、文法知識を深めます。花や木など、動かなくても命のあるものの存在は「あります」で表すことに気をつけましょう。

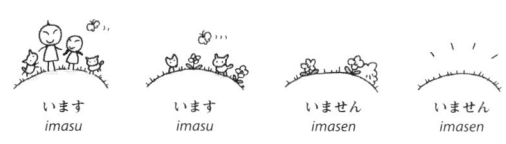

います　imasu　　います　imasu　　いません　imasen　　いません　imasen

■(1)〜(5) の人たちをビルの中から探しましょう (p. 60) 🔊 06-2

教材　人物のイラスト Ex. 〜 (5)、会社のイラスト

会社のイラストと社長の絵（Ex.）をボードに貼り、先生が以下のように話しかけます。

> T：社長です。（社長のイラストを見せる）
> 　　社長はいま、会社にいますか、いませんか。（会社のイラストを示し、特に髪の毛に注目して探すように促す）
> S：います。
> T：何階にいますか。何階ですか。
> S：5階にいます／5階です。
> T：社長は5階にいます。（Sにリピートするように促す）
> S：社長は5階にいます。
> T：社長は5階です。いいです。（OKのサインを出しながら）
> 　　社長は5階にいます。（どちらの文でも正しいことを示す）

Grammar 1 (p. 70) を読んで、「社長は5階にいます」と「社長は5階です」がどちらも正しいことを確認します。文法説明を読んだらすぐにクラス活動に戻り、学習者の注意がコミュニケーションから離れてしまわないようにします。

(1) 秘書、(2) 岡田さん、(3) 森さん、(4) 山田さん、(5) ペンさんに関して、同じように先生が質問し、学習者は、いるかいないか、何階にいるか探して答えます。(4) の山田さんは会社にいません。

Task 2　もりさん おねがいします　Mori-san onegai shimasu (I would like to talk to Mori-san, please)

Phrases for the Task (p. 61) 🔊 06-3

教材　ことばカード Ex. 〜 (6)（日本語）、ことばカード a 〜 g（英語）

このタスクで使う表現です。日本語と英語のことばカードをそれぞれボードに貼って意味を確認しながら、CDの音声を聞いて繰り返し発音練習します。電話での意思の疎通は音声だけが頼りなので、相手の日本人が聞き取りやすいように発音を練習します。また「森さんはいますか、いませんか」は相手からシンプルな答えを引き出す便利な表現ですが、口調によっては失礼になるので、注意を促します。

Part 2　各ユニットの進め方

　Ex.〜(4)は学習者が使う表現、(5)と(6)は相手（日本人）の話を聞き取る際のキーワードです。これらの表現はユニット6の間ずっと使うので、いつでも確認できるよう、ボードに貼ったままにします。最後にテキストを開いてマッチングをし、正しく覚えたかどうか確認します。

1　Case 1 から Case 3 を聞きましょう。森さんはオフィスにいますか (p. 61)

(Case 1) **06-4**　(Case 2) **06-5**　(Case 3) **06-6**　（スクリプト p. 154）

　まずCDを聞いて、森さんが会社にいるかいないかを聞き取る活動を行います。森さんの会社の人は聞き慣れない日本語で話してきますが、学習者は自分から、「森さんはいますか、いませんか」と質問して、相手からシンプルな答えを引き出します。2択の質問をされれば答えは自然と「います。少々お待ちください」「います、でも…」「いません」の3パターンに限られてきます。

■ CDスクリプト

● **Case 1**　**06-4**

Staff:　サン・コンサルティング株式会社でございます。
Pen:　もしもし、ペンです。森さん、お願いします。
Staff:　森ですね。ただいま代わりますので、そのままお待ちいただけますでしょうか。
Pen:　すみません。わかりません。
Staff:　あの、いま代わります。
Pen:　すみません。森さんはいますか、いませんか。
Staff:　います。少々お待ちください。
Pen:　わかりました。

● **Case 2**　**06-5**

Staff:　サン・コンサルティング株式会社でございます。
Pen:　もしもし、ペンです。森さん、お願いします。
Staff:　申し訳ございません。ただいま席を外しております。
Pen:　すみません。わかりません。
Staff:　ただいま席を外しております。
Pen:　すみません。森さんはいますか、いませんか。
Staff:　います。でも、ただいま席を外しております。のちほどお電話いたしましょうか。
Pen:　また電話します。失礼します。

● **Case 3**　**06-6**

Staff:　サン・コンサルティング株式会社でございます。
Pen:　もしもし、ペンです。森さん、お願いします。
Staff:　申し訳ございません。本日、森は休んでおります。
Pen:　すみません。わかりません。
Staff:　森は休んでおります。あすは出社いたしますが。
Pen:　すみません。森さんはいますか、いませんか。
Staff:　申し訳ございません。いません。あすは出社いたします。
Pen:　また電話します。失礼します。

でんわ　Unit 6

2 Tryout あなたは森さんのオフィスに電話しています (p.61)

教材 *携帯電話

1で聞いた会話を実際に体験してみます。先生が森さんの会社の人になり、学習者が電話をします。学習者が混乱したら、ボードに貼ったことばカードから適当な表現を選んで対応するように指導します。会話の内容は**1**のCase 1〜3と同じ流れにします。

Case 1

T：私は森さんの会社の人です。Sさんは森さんに電話をします。どうぞ。
　（TはSから表情が見えないよう後ろを向く）
T：サン・コンサルティング株式会社でございます。
S：？？？
　（Tはボードに貼ってある表現から適当な表現を選ぶよう促す）
S：もしもし、Sです。森さん、お願いします。
T：森ですね。ただいま代わりますので、そのままお待ちいただけますでしょうか。
S：？？？
　（続ける）

クラスでこの活動を行うと、学習者は様々な反応を見せます。「わかりません」を繰り返したり、笑い出したり、呆然としたり、すぐに電話を切ってしまう学習者もいます。反応は様々ですが、多くの学習者から共通して聞かれることは、「同じような経験をよくしている。電話は怖い」という感想です。電話のコミュニケーションは相手の表情や動作が見えないために、特に難しいものですが、相手からシンプルな日本語を引き出す方略を身に付ければ、この状況を乗り切ることができます。他のユニットでもそうですが、このユニットではコミュニケーションを成立させるための方略を学ぶことが特に大切です。実際の状況をリアルに体験することで、コミュニケーションをあきらめない態度、その場をなんとか乗り越える力を身に付けます。

3 Review Case 1〜3をもう一度聞いて、空欄を埋めましょう (p.62)

(Case 1) **06-7**　(Case 2) **06-8**　(Case 3) **06-9**　（スクリプト p.154）

2の活動を振り返ります。Case 1〜3の会話をもう一度聞いて、空欄に答えを書きます。書くことによって、体験したことがきちんと記憶に残るようにします。

4 CD Simulation CDと会話をしましょう (p.62)　**06-10**　（スクリプト p.154）

CDを相手に会話をします。相手のせりふを聞いてから、ピー音の合図で学習者が話します。電話会話の内容は**1**のCase 2と同じですが、学習者はCase 1〜3のどの電話会話が聞こえてくるか知りません。いままでの CD Simulation は、すでに言ったり書いたりして内容を知っている会話をもう一度聞いて、流れを整理するために行ってきましたが、ここではより実践的な力が試されることになります。

Task 3 いつそちらに…？ Itsu sochira ni…? (When will he/she be there?)

Words for the Task (p. 63) 🔊 06-11

教材 時の表現のリスト（p. 63 の英語部分）、ことばカード（日本語）、ことばカード（英語）、*指示棒、*カレンダー（実物）

まず、「今日・あした・あさって」「今週・来週」、曜日や時刻の言い方など、時の表現を整理します。「あさって」「今週」「来週」は新しいことばです。既習のことばも含め、別冊「Glossary 5. 時の表現」「Glossary 6. 日付」を参考にしながら、(1) ～ (13) の英語を日本語とマッチングします。なお、このタスクでは、時の表現を「次にいつ電話したらいいか」を確認するために使うので、Glossary の単語のうち過去を表すことば（「先週」「きのう」「おととい」など）は扱いません。ひとつひとつのことばの意味が確認できたら、以下の活動に進みます。

① 先生はまず、時の表現のリスト（p. 63 の英語部分）をボードに貼っておく。先生が例えば「今日、夕方、午後 1 時ごろ」と言い、学習者はリストから該当する英語を指し示す。このとき、以下のような最も一般的な順番で言うように注意する。これを何回か繰り返す。

来週・今週・今日・明日 ➡ 曜日 ➡ 午後・午前 ➡ 時刻

② 次に、実際のカレンダーを用意し、ボードに「a.m.」「p.m.」と 1:00 から 12:00 までの時刻を書く。
③ 先生が、例えば「来週、水曜日、午後 1 時」と言い、学習者がカレンダーとボードに書いた時刻の該当部分を指し示す。これを何回か繰り返す。

1 CD を聞きましょう。森さんはいつオフィスに戻りますか (p. 63)

🔊 (Ex.) **06-12** (1) **06-13** (2) **06-14** （スクリプト p. 154）

時の表現を聞き取ることに焦点をあてた練習です。CD を聞いて問題に答えます。

■ CD スクリプト

Ex. 🔊 06-12

Pen: すみません。森さんはいますか、いませんか。
Staff: 申し訳ございません。森はいません。本日は出社いたしません。
Pen: じゃ、いつそちらに…？
Staff: あしたは出社する予定になっております。
Pen: あしたですね？何時ごろですか。
Staff: こちらには 3 時ごろ参ります。
Pen: 3 時ごろですね？わかりました。また電話をします。失礼します。

でんわ　Unit 6

(1) 🔊 06-13

Pen: すみません。森さんはいますか、いませんか。
Staff: 申し訳ございません。森はいません。本日は出社いたしません。
Pen: じゃ、いつそちらに…？
Staff: 今週の金曜日には、こちらにおります。
Pen: 今週の金曜日ですね？何時ごろですか。
Staff: 9時ごろ出社予定です。
Pen: 9時ごろですね？わかりました。また電話をします。失礼します。

(2) 🔊 06-14

Pen: すみません。森さんはいますか、いませんか。
Staff: 申し訳ございません。森はいません。本日は出社いたしません。
Pen: じゃ、いつそちらに…？
Staff: 来週の月曜日、午後から出社の予定です。
Pen: 来週、月曜日ですね？何時ごろですか。
Staff: こちらには1時半に参ります。
Pen: 1時半ですね？わかりました。また電話をします。失礼します。

2　Tryout　あなたは森さんに電話をしています。でも森さんはオフィスにいません (p.64)

教材　Task 2のことばカード　もりさんは　いますか、いませんか。、ことばカード（日本語）、ことばカード（英語）、*携帯電話

1の会話の流れを使って、実際に電話のやりとりを体験します。学習者が指示文を読んで状況を理解してから、Task 2と同様、先生が森さんの会社の人になり、学習者が電話をします。森さんはいないので、学習者は次にいつ電話をしたらいいか、相手の人（先生）から以下のように聞き出します。

（T が もりさんは　いますか、いませんか のことばカードを示す）
S：すみません、森さんはいますか、いませんか。
T：申し訳ございません。森はいません。本日は出社いたしません。
S：？？
　　（いつ　そちらに…？　When will he/she be there? を示す）
S：じゃ、いつそちらに…？
T：今週（来週／あした／あさって）、木曜日（～曜日）、午前（午後）、10時（～時）に出社いたします。
S：はい、わかりました。失礼します。

ここで電話を切ってしまったら、次にいつ電話をしたらいいか、正確な情報を聞き取ったことになりません。

T：Sさん、いつ森さんに電話しますか。
S：木曜日、電話します。
T：今週ですか、来週ですか。何時ごろですか。午前？　午後？
S：……。
T：もう一度電話しましょう。
　　（いつ　そちらに…？　When will he/she be there? を示す）
S：じゃ、いつそちらに…？
T：今週木曜日、午前10時に出社いたします。
S：？？
　　（Tが「今週ですね？」と小さい声でヒントを与える）

> S：今週ですね？
> T：はい、今週の木曜日でございます。
> S：木曜日ですね？
> T：はい。木曜日に参ります。
>   （Tが「何時ごろですか」と小さい声でヒントを与える）
> S：何時ごろですか。
> T：10時ごろです。
> S：10時ごろですね？
> T：はい。
> S：わかりました。失礼します。

このようなやりとりを行うことで、学習者は確実に時間の情報を聞き出すにはどうしたらいいかを知ります。確認の「〜ね？」はユニット3で学習しましたが、学習者からスムーズに「〜ね？」が出てこないようであれば、Grammar 2「〜 *desu ne?*」(p. 70)を読みます。また、「じゃ、いつそちらに…？」はいろいろな状況に対応できる便利な表現です。同じく Grammar 2 を読んで、理解を深めます。

3 Review CDの会話を聞いて、空欄を埋めましょう (p. 64) 06-15

2 の活動を振り返ります。電話の会話をもう一度聞いて、空欄に答えを書きます。書くことによって、体験したことがきちんと記憶に残るようにします。会話の内容は 1 の Ex. と同じです。

4 CD Simulation CDと会話をしましょう (p. 64) 06-16 （スクリプト：p. 155）

CDを相手に会話をします。相手のせりふを聞いてから、ピー音の合図で学習者が話します。内容は 1 の (1) 06-13 と同じですが、Task 2 の CD Simulation と同じように、学習者はどの電話会話が聞こえてくるかわからないので、ここではより実践的な力が試されることになります。

Task 4 でんわを ください *Denwa o kudasai* (Please call me)

1 Shadowing CDと一緒に答えを言いましょう (p. 65) 06-17

電話番号の言い方です。テキストを見ながらCDに合わせてシャドーイングの練習をしたら、ペアになって、お互いの電話番号を聞き合う練習をします。学習者によっては、電話番号などの個人情報を使いたくない場合もあります。本当の電話番号でなくてもかまわないことを伝えておくといいでしょう。

2 Shadowing CDと一緒に言いましょう (p. 65)

1 ペンさんは森さんに伝言をします 06-18

テキストを見ながら、CDに合わせてシャドーイングの練習をします。その後、学習者同士でペアになって練習します。

でんわ　Unit 6

2 留守番電話に伝言を残します 🔊 06-19

テキストを見ながら、CDに合わせてペンさんの部分のシャドーイングをします。

3 電話で名前をはっきり伝えましょう（ショウペンハウワさんの場合）🔊 06-20

日本人にとって、電話で外国人の名前を聞き取ることはなかなか難しいものです。まず、テキストのショウペンハウワさんの例を見ながら、CDに合わせてシャドーイングの練習をします。2拍のリズムに区切ってゆっくり発音すると日本人に聞きやすくなるということがわかったら、次に学習者ひとりひとりの名前を、2拍のリズムで発音する練習をします。その後、学習者同士で電話の練習をします。「タンさん」や「ペンさん」のように短い名前の場合は、この練習をする必要はありません。

Final Task 　**まちあわせ** *Machiawase* (Meeting up with someone)

Phrases for the Task (p. 66) 🔊 06-21

教材 ことばカード（日本語）、ことばカード（英語）

このタスクに必要な表現を確認します。日本語と英語のことばカードをそれぞれボードに貼って意味を確認しながら、CDの音声を聞いて繰り返し練習しましょう。ことばカードはボードに貼ったままにしておきます。

Scene 1

1 Tryout 森さんに電話します (p. 67)
（あなたは森さんと待ち合わせの約束をしましたが、時間に遅れそうです。）

教材 待ち合わせのイラスト、*携帯電話

現段階の日本語力でトラブルにも電話で対応できるという自信を持ってもらうことがねらいです。

まず、学習者はテキストの状況説明を読みます。状況を理解したら、森さん（先生）に電話をします。先生は、Scene 1 **1** のイラスト（ペンさんがタクシーに乗って焦っている）を見せ、以下のように話しかけます。実際の状況に近づけるために、先生と学習者は背中合わせに座り、お互いの表情や動作が見えないようにするといいでしょう。

> T：Sさんです。（イラストのペンさんを指して）
> あ！時間が！（時計を見ながら）
> Sさんは森さんに電話します。どうぞ。（Sに携帯を渡し、背中合わせに座る）
> 私は森さんです。ルルルルル（着信音）
>
> T：はい、森です。（声色を変えて）
> S：もしもし。Sです。
> T：あ、Sさん。
> S：すみません、10分遅れます。（Sがボードのことばカードから表現を選んで対応する）
> T：わかりました。
> S：すぐ行きます。本当にすみません。（Sがボードのことばカードから表現を選んで対応する）

2 Review 会話を完成させましょう (p. 67)

1の活動を振り返りながら、空欄を埋めます。書いたり読んだりすることによって、きちんと記憶に残るようにします。その後、学習者同士で会話練習します。

3 CD Simulation CDと会話をしましょう (p. 67) 06-22

CDを相手に会話をします。相手のせりふを聞いてから、ピー音の合図で学習者が話します。もう一度、**1**と同じ流れの会話を整理された形で行うことで、よりスムーズに話せるようにします。

Scene 2

1 Tryout 森さんにもう一度電話しましょう (p. 68)

（あなたは森さんとの待ち合わせ場所に着きましたが、森さんがいません。）

教材 待ち合わせのイラスト、*携帯電話

まず、学習者はテキストの状況説明を読みます。状況を理解したら、森さん（先生）に電話をします。Scene 2 **1** のイラスト（ペンさんが六本木駅1番出口で待っている）を見せ、以下のように話しかけます。

> T：Sさんです。（イラストのペンさんを指さして）
> いまSさんは、六本木駅1番出口にいます。でも、森さんは来ません。
> 森さんはどこですか。森さんはいません。
> どうぞ。（Sに携帯を渡し、背中合わせに座る）
> 私は森さんです。ルルルルル（着信音）
>
> T：はい、森です。（声色を変えて）
> S：もしもし、Sです。
> T：あ、Sさん。
> S：六本木駅1番出口にいます。ここで大丈夫ですか。（Sがボードのことばカードから表現を選んで対応する）
> T：大丈夫です。そこにいてください。すぐ行きます。
> S：わかりました。（Sがボードのことばカードから表現を選んで対応する）

2 Review 会話を完成させましょう (p. 68)

いまの活動を振り返りながら、空欄を埋めます。書いたり読んだりすることによって、きちんと記憶に残るようにします。その後、学習者同士で会話練習します。

3 CD Simulation CDと会話をしましょう (p. 68) 06-23

CDを相手に会話をします。相手のせりふを聞いてから、ピー音の合図で学習者が話します。もう一度、**1**と同じ流れの会話を整理された形で行うことで、よりスムーズに話せるようにします。

Telephone Phrases (電話の表現)

▶ 電話会話のフローチャートです。空欄を埋めましょう (p. 69)

教材 フローチャート

　最後にもう一度、電話会話の流れを確認します。英文をヒントに (1) 〜 (9) の日本語を考えます。書くのに時間がかかる場合が多いので、クラスでは口頭で確認し、後は宿題にするといいでしょう。

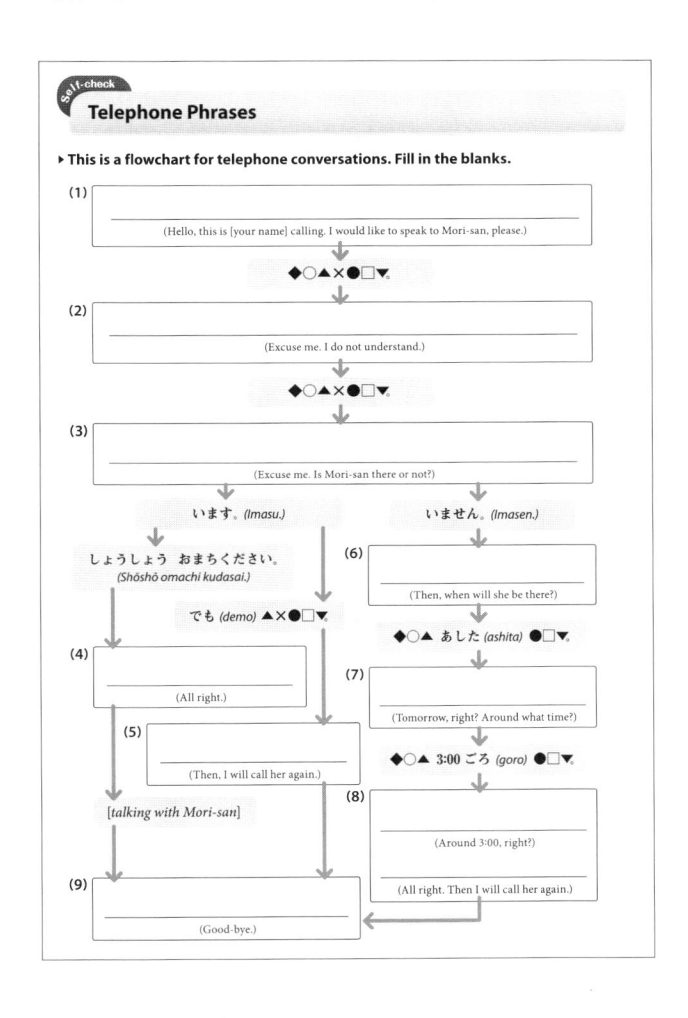

Telephone Phrases

▶ This is a flowchart for telephone conversations. Fill in the blanks.

(1) _____ (Hello, this is [your name] calling. I would like to speak to Mori-san, please.)

◆○▲×●□▼.

(2) _____ (Excuse me. I do not understand.)

◆○▲×●□▼.

(3) _____ (Excuse me. Is Mori-san there or not?)

います。(Imasu.) / いません。(Imasen.)

しょうしょう おまちください。(Shôshô omachi kudasai.)

でも (demo) ▲×●□▼.

(4) _____ (All right.)

(5) _____ (Then, I will call her again.)

[talking with Mori-san]

(6) _____ (Then, when will she be there?)

◆○▲ あした (ashita) ●□▼.

(7) _____ (Tomorrow, right? Around what time?)

◆○▲ 3:00 ごろ (goro) ●□▼.

(8) _____ (Around 3:00, right?) (All right. Then I will call her again.)

(9) _____ (Good-bye.)

Part 2　各ユニットの進め方

Unit 6 の流れ

活動の内容	日本語	教材
Task 1　しゃちょうは いますか		
社長や岡田さんを会社のイラストの中から探す。	・いいます、いません ・Q: 社長は会社にいますか。 　A: はい、います。 ・Q: 何階にいますか / 何階ですか。 　A: 5 階にいます / 5 階です。	人物のイラスト Ex. 〜 (5) 会社のイラスト
Task 2　もりさん おねがいします		
🅟 カードをマッチングさせたり、発音練習をする。 ① ② ③ ④ （「電話」をリアルに体験する） 森さんの会社に電話し、森さんがいるかどうかたずねて、「いる」「席にいないが社内にいる」「休んでいる」の 3 つのケースに対応する。	・もしもし、ペンです。森さん、お願いします。 ・森さんはいますか、いませんか。 ・また電話をします。失礼します。 ・少々お待ちください。 ・います。でも…	ことばカード Ex. 〜 (6)（日本語） ことばカード a 〜 g（英語） ＊携帯電話
Task 3　いつ、そちらに…？		
🅦 時の表現を聞いて、表の中の正しいことばを指し示す。 ① ② ③ ④ （「電話」をリアルに体験する） Task 2 の電話会話の続き。森さんが不在なので、次にいつ電話をしたらいいか、電話の相手から確実に聞き出す。	・時の表現（あした、あさって、今週、来週、曜日と時刻の言い方） ・いつ、そちらに…？ ・3 時ごろですね？ など	時の表現のリスト（p. 63 の英語部分） Task 2 のことばカード「もりさんは いますか、いませんか」 ことばカード（日本語） ことばカード（英語） ＊指示棒 ＊カレンダー（実物） ＊携帯電話
Task 4　でんわを ください		
① ② ・電話番号を伝える ・メッセージを残す ・自分の名前を聞き取りやすく発音する	・Q: 電話番号は何番ですか。 　A: XX-XXXX-XXXX です。 ・メッセージをお願いします。いいですか。 ・よろしくお願いします。	
Final Task　まちあわせ		
待ち合わせでよくあるトラブルに電話で対処する。 Scene 1 ① ② ③ 待ち合わせに遅れそうなので、相手に電話で知らせる。 Scene 2 ① ② ③ 待ち合わせ場所に相手がいないので、電話で確認する。	・遅れます。 ・すぐ行きます。 ・ここで大丈夫ですか。 ・そこにいてください。 ・六本木駅 1 番出口	ことばカード（日本語） ことばカード（英語） 待ち合わせ のイラスト（2 点） ＊携帯電話

＊は教師が自分で準備するもの（付属 CD-ROM の PDF には含まれていません）

Unit 7 いただきます (p. 73)
(Thank you for the meal)

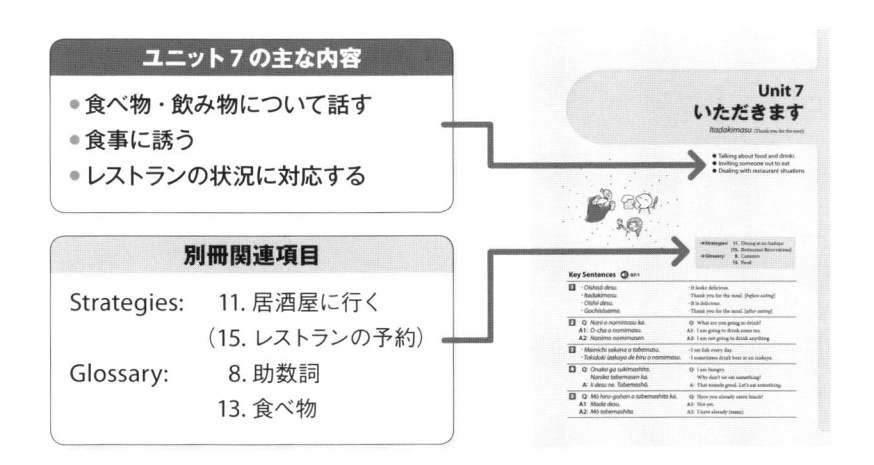

ユニット 7 の主な内容
- 食べ物・飲み物について話す
- 食事に誘う
- レストランの状況に対応する

別冊関連項目
Strategies: 11. 居酒屋に行く
（15. レストランの予約）
Glossary: 8. 助数詞
13. 食べ物

　ユニット 7 では、「食べること・飲むこと」をテーマに話し合います。スーパーなどの食料品のチラシを使って自分の「毎日のメニュー」を作成したり、友だちを誘ってレストランに行く活動を行います。新しく学ぶ動詞は、目的語を取る動作動詞の「食べます」「飲みます」の 2 つですが、学習者はこの 2 つの動詞を使って、活動を楽しみながら新しい文の形を練習します。Final Task の「レストランで」では、先生がレストランの店員の役になり、できるだけ実際のレストランに近い状況をクラスに再現して疑似体験します。学習者は、店員の敬語表現などの慣れない日本語に直面しますが、これを克服して、「席につく ➡ 注文する ➡ 食事をする ➡ 料金を払う ➡ 店を出ていく」という一連の行動を成功させます。

■ Key Sentences (p. 73) 07-1

1
- おいしそうです。
- いただきます。
- おいしいです。
- ごちそうさま。

2
Q: 何を飲みますか。
A1: お茶を飲みます。
A2: 何も飲みません。

3
- 毎日魚を食べます。
- ときどき居酒屋でビールを飲みます。

4
Q: おなかがすきました。
　 何か食べませんか。
A: いいですね。食べましょう。

5
Q: もう昼ご飯を食べましたか。
A1: まだです。
A2: もう食べました。

Part 2　各ユニットの進め方

Words for This Unit (p. 74) 🔊 07-2

教材 ことばカード Ex. ~ (14)、絵カード a ~ o

「豚肉」「野菜」「ミルク」など、食生活について話すのに必要なことばを学びます。ヒントやジェスチャーを使ってことばの意味を類推したり、絵カードとことばカードを使ってマッチングしたりして、新しいことばをゲーム感覚で覚えていきます。(教え方：Unit 3「Words for Tasks 4-5 and Final Task」本書 p. 42 参照)

最後にテキストを開いて日本語と絵をマッチングし、正しくことばを覚えたかどうか確認します。

Task 1　いただきます　Itadakimasu (Thank you for the meal)

Phrases for the Task (p. 75) 🔊 07-3

教材 ことばカード(日本語)、ことばカード(英語)

この活動で必要となる表現を確認します。テキストを見ながらCDをリピートして、意味と音声を確認します。日本語と英語のことばカードはボードに貼っておき、活動中に学習者が混乱したときにヒントとして使います。

1 Tryout　先生の言う通りに動きましょう (p. 75)

教材 ＊お茶などの飲み物、＊湯呑み、＊小さなお菓子

実際にお茶を飲んだり、小さなチョコレートやクッキーなどを食べたりしながら、コミュニケーションを行います。まず、先生が以下のように話しかけます。

> T：お茶です。飲みます。いただきます。(「お先に失礼」というふうに、会釈してお茶を飲み始める)
> T：飲みました。(飲み終わったことがわかるように、湯呑みの中をSに見せる)
> 　　ごちそうさま。(ちょっと会釈しながら、湯呑みをテーブルの上にきちんと置く)
> 　　どうぞ。飲みましょう。(「いただきます」と言うように促す)
> S：いただきます。
> T：飲みましたか。
> S：はい。(「ごちそうさま」と言うように促す)
> S：ごちそうさま。

お茶を飲み終わったら、次のように質問し、答えを引き出します。

> T：何を飲みましたか。
> S：お茶。
> T：そうです。お茶を飲みました。
> T：チョコレートです。(チョコレートを差し出して)
> 　　おいしそうです……ね？

いただきます　Unit 7

S：はい。おいしそうです。
T：食べます。いただきます。(「お先に失礼」というふうに、会釈してお菓子を食べ始める)
T：おいしいです。
　　食べましょう。どうぞ。(チョコレートを勧めながら、「いただきます」と言うように促す)
S：いただきます。ありがとうございます。
T：おいしいですか。
S：おいしいです！
T：食べましたか。(「ごちそうさま」と言うように促す)
S：はい。ごちそうさま。

チョコレートを食べ終わったら、次のように質問し、答えを引き出します。

T：何を食べましたか。
S：チョコレート。
T：そうです。チョコレートを食べました。

このように、実際にお茶を飲んだり、お菓子を食べたりしながらコミュニケーションを行うと、学習者は体験を通して新しい日本語を身に付けることができます。「おいしそう」「おいしい」もごく自然に出てきますし、「食べます／食べました」「飲みます／飲みました」も体験を通して実感できるので、より深く記憶に残ります。また、この活動のもうひとつの目的は、現場で起きていることから意味を類推する力を育てることです。先生はジェスチャーを交えて話しかけるなどして、わかりやすさを心がけます。

2　Review　先生の質問に答えましょう (p.75)

1の活動を振り返って、(1)(2)の空欄に答えを書きます。体験だけで終わらせずに、書いたり読んだりすることによって、きちんと記憶に残るようにします。

Task 2　リズム・イントネーション (Rhythm / Intonation)

■CDを聞いてリピートしましょう (p.76)　　07-4　(スクリプト：p.155)

教材　リズム・イントネーションのイラスト

Task 2のイラストをボードに貼って、先生と学習者で発音練習をします。このタスクは発音練習ですが、同じ文を繰り返し発音することによって文を覚えることも狙っています。詳しい発音練習の仕方はユニット5のTask 3 (本書p. 59) を参照してください。先生と学習者で発音練習をしたら、CDと一緒に練習します。電子音に合わせて、テンポよくリピートしましょう。先生はどうしても学習者のスピードに合わせてしまいがちですが、CDは非情にテンポを刻んでいくので、さらなるチャレンジになります。

Task 3 わたしの メニュー *Watashi no menyū* (My daily menu)

1 あなたの毎日のメニューを作りましょう (p. 77)

（配られたチラシから食べ物や飲み物を選び、切り取って下の枠内に貼り付けましょう。）

■ 必要な場合は、以下の表現を使ってください。

> ・はさみをください。
> ・のりをください。

教材 *実際の食料品のチラシ（多数）、*はさみ、*のり

実際のチラシ広告などから、自分が毎日食べるもの・飲むものや、ぜんぜん食べないもの・飲まないものなどを探し、それを切り取って枠内に貼り付け、毎日のメニュー（My Daily Menu）を作成します。思いがけない発見があり、楽しい活動になります。

まず、テキストの単語リスト（p. 84）を見て、「まいにち」「よく」「ときどき」「あまり」「ぜんぜん」の意味を確認します。先生が以下のように話しかけます。

> T：毎日何を食べますか。（チラシを見せる。S はチラシを興味深く見る）
> T：毎日何を食べますか。私は毎日ニンジンを食べます。
> 　　（T がチラシの中からニンジンを切り取り、「My Daily Menu」の「まいにち」の枠内に貼り付ける）

学習者が活動の内容を理解したら、先生はチラシを配りながら、以下のように話しかけます。

> T：毎日何を食べますか。（チラシを配りながら）
> T：S1 さんは毎日何を食べますか。
> 　　（S1 はチラシを興味深く見ている。チラシの中からキャベツを見つける）
> S1：これは何ですか。
> T：「キャベツ」です。
> S1：毎日キャベツを食べます。
> 　　（T は、少し遠くに立って、手に持っているはさみとのりを見せる）
> S1：すみません、はさみをください。
> T：どうぞ。

同じように「よく」「ときどき」「あまり」「ぜんぜん」を使って質問しながら、活動を続けます。

のりとはさみは、学習者の数より少なく用意しましょう。少なければ、お互いに「のりをください」「のり、ありますか」などの表現を自然に使うことになります。また、チラシは少なくとも学習者1人に3枚以上あったほうが効果的です。実際のチラシに数多く触れることで、自分の国にはない食べ物を発見したり、日ごろ興味のある食べ物の名前を先生に質問したりして、話題が広がります。

2 あなたの毎日のメニューをクラスで発表しましょう (p. 77) 🔊 07-5

テキストの枠内に食べ物や飲み物を貼り付けて自分の毎日のメニューを作ったら、それを見せながら、クラスで発表します。学習者同士で意外な嗜好がわかり、クラスが盛り上がります。最後に CD を聞いて **Ex.** の文をリピートし、活動を振り返ります。

いただきます　Unit 7

Task 4　なにか たべませんか　*Nanika tabemasen ka* (Why don't we eat something?)

1　それぞれの吹き出しに合う表現を選びましょう (p. 78)

教材　コママンガ

レストランに誘ったり誘われたりする活動です。どれも日常的によく使う表現なので、このまま覚えて実際の生活に使えるようにしておくと便利です。

A　おなかがすきました！

まず、テキストの Grammar 3・4 (p. 83) と単語リスト (p. 84) で、「おなかがすきました」「私もです」「何か食べませんか」「いいですね、食べましょう」の意味を確認します。

次に、先生が以下のように話しかけます。

> T：いま、12時です。昼ご飯の時間です。おなかがすきました。
> 　　（空腹の様子でおなかを押さえながら、「*Onaka ga sukimashita.*」と板書し、1コマめをボードに貼る）
> T：S1 さんは？
> S1：？？？
> 　　（T は、ボードに貼ったコマの「Me, too.」の部分を示し、「私もです」と言うように促す）
> S1：私もです。（T が「*Watashi mo desu.*」と板書する）
> T：何か食べませんか。（「*Nanika tabemasen ka.*」と板書し、2コマめをボードに貼る）
> S1：？？？
> 　　（T は、2コマめの「Sound good! Let's eat.」の部分を示し、「いいですね。食べましょう」と言うように促す）
> S1：いいですね。食べましょう。（T が「*Ii desu ne. Tabemashō.*」と板書する）

会話の流れがわかったら、テキストを開いて、いま行った活動を振り返ります。コママンガの吹き出しに下の a ～ d から適当な表現を選んで、会話を完成させます。その後、学習者同士で会話練習します。ボードに貼ったコママンガや板書はそのままにして、次の活動に進みます。

B　昼ご飯に行きましょう

テキストの Grammar 3・4 (p. 83) で、「もう昼ご飯を食べましたか」「まだです」「一緒に昼ご飯に行きませんか」「いいですね。行きましょう」の意味を確認します。その後、**A** と同じように練習します。ボードに貼ったコママンガや板書はそのままにして、**2** に進みます。

2　Shadowing　CD と一緒に 1 の A B の会話を言いましょう (p. 78)　　A 07-6　B 07-7

ボードに貼ってあるコママンガや板書の表現を見ながら、CD に合わせてシャドーイングの練習をします。この練習では、スピードやイントネーション、表情の出し方まで、できるだけ CD と同じように言ってみることが大切です。

Final Task レストランで Resutoran de (At a restaurant)

Words for the Task (p. 79) 🔊 07-8

教材 ことばカード（日本語）、ことばカード（英語）

まず、テキストの **Words for the Task** を見ながら、CDをリピートして意味と音声を確認します。次に上記の日本語のことばカードを見ながら、先生と一緒にリピートします。ことばカードはそのままボードに貼っておき、学習者が活動の際に混乱したときのヒントとします。

1 Tryout レストランで友だちと一緒に晩ご飯を食べます (p. 79)

教材 コママンガ、メニューのイラスト、*レジに見立てたもの、*灰皿、*レストランの入口のサイン

レストランでの一連の流れを体験します。この活動で大切なことは、先生が店員になりきってごく普通に話しかけ、学習者に混乱状態を体験してもらうことです。実際の場面では、レストランの店員が学習者の日本語レベルに合わせてわかりやすく話してくれる保証はありません。学習者は席について食事をし、会計を済ませてレストランを出るまで、いくつものハードルを自力で乗り越えなければなりません。そのようなときに、この活動で混乱しながらも目的を達成した体験が役立つでしょう。

まず、レストランの入口のサイン、レジ、テーブル、灰皿、メニューなどを用意して、教室内にレストランの場面を作り、先生が以下のように話しかけます。

> T：S1さんとS2さんはレストランに行きます。晩ご飯を食べます。
> 　　S1さんは、肉を食べますか。魚を食べますか。野菜を食べますか。S2さんは？
> S1：野菜を食べます。（Tが「S1-san wa YASAI o tabemasu.」と板書する）
> S2：魚を食べます。（Tが「S2-san wa SAKANA o tabemasu.」と板書する）
> T：S1さんは野菜、S2さんは魚ですね。じゃ、2人はレストランに行きます。

次に、先生がレストランのいろいろな人になって、以下のように進めます。

1 レストランの入口で

> T：私はレストランの人です。
> 　　（声色を変えて）いらっしゃいませ。何名様でいらっしゃいますか。
> S：？？
> T：何名様でいらっしゃいますか。お一人ですか、お二人ですか。
> 　　（指で数を示す）
> S：に……2……じん。
> 　　（人数の言い方がとっさに出ないようであれば、ボードに貼ってあることばカードを見るように促す。Sはカードの中から適当なことばを自分で選ぶ）
> S：ふたりです。
> T：おたばこはお吸いになりますか。禁煙席になさいますか。
> S：？？
> T：あの、おたばこは？（たばこを吸うジェスチャーをする。Sはボードを見て適当な表現を自分で選ぼうとしている）

S：いいえ。ノースモーキング、お願いします。
T：ノースモーキングでいらっしゃいますね。では、こちらへどうぞ。
　　（SはTに案内され、テーブルに着く）

　学習者は、店員に何を聞かれているのか類推し、ボードに貼ってあることばカードの中から最も適当だと思われるものを選んで対応します。

2 テーブルで注文する

T：こちら、メニューでございます。（メニューを渡し、ボードのことばカードの中から適当な表現を選ぶように促す。以下、Sが混乱しているようであれば同じように促す）
S：お勧めは何ですか。
T：とんかつ定食です。
S1：肉ですか。魚ですか。野菜ですか。
T：肉です。豚肉です。
　　（Tはメニューの野菜天ぷらを意味ありげに示し、これについて質問するように促す）
S1：これは、野菜ですか。
　　（このとき、S1がメニューの料理を指さしていない場合は、以下のように促す）
T：これ、とおっしゃいますと？ どれでしょうか。（メニューを指すように促す）
S1：これです。（メニューを指さして）
T：そちらは野菜です。
S1：じゃ、これ、お願いします。
T：ご注文、お決まりですか。（S2に向かって会話を続ける）

2 Ordering a dish at the table

3 会計を頼む

　　（Tが「食べましたか。食べましたね。じゃ、帰りましょう」と小声で促す）
S：すみません。お会計、お願いします。
T：はい、ただいまお持ちいたします。

3 Asking for the bill

4 レジで支払う

　　（Tが「お会計はあそこです」と小声で促し、S1とS2はレジに見立てたところへ移動する）
T：お会計は、ご一緒でよろしいですか。
S：別々でお願いします。
　　（お金のやりとりを済ませる）
T：ありがとうございました。

4 Paying the cashier

2 Review 会話を完成させましょう (p. 80)

1 で体験した活動を振り返ります。①〜⑧の空欄に適当な日本語を書き入れ、レストランの店員とのやりとりを完成させます。どれもレストランの場面で幅広く使える明快な表現なので、このまま覚えておくと便利です。

3 CD Simulation CDと会話をしましょう (p. 81)　🔊　1 07-9　2 07-10　3 07-11　4 07-12

CDを相手に会話をします。もう一度、1 と同じ流れの会話を整理された形で行うことで、よりスムーズに話せるようにします。

Self-check
Sentence Patterns (2) ー Action Verbs ー（動作動詞）

▶ 自分で文を作ってみましょう (p. 82)

教材 Sentence Patterns の図

文の形を視覚的に確認することによって文法知識を整理し、応用力をつけることを目的としています。学習者は図を見て、助詞や語順に意識しながらいろいろな文を作ります。(教え方：Unit 5「Self-check」本書 p. 62 参照)

▶ 以下の文を日本語に訳しましょう (p. 82)

(1)〜(4) の英文を日本語に訳します。目的語を取る動作動詞「食べます」「飲みます」の基本的な文法を正確に理解したかどうか、確認することができます。

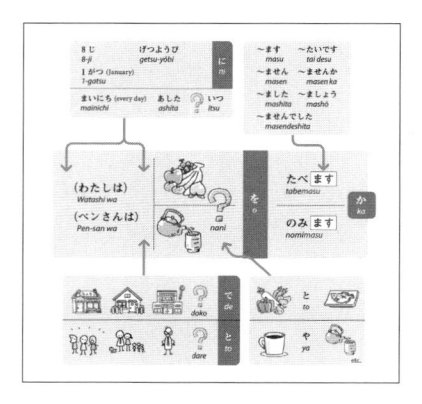

Unit 7 の流れ

活動の内容	日本語	教材
Words for This Unit		
先生のヒントから意味を類推したり、カードをマッチングしたりする。	フルーツ、パン、卵、魚、ご飯、野菜、豚肉、牛肉、鶏肉、何も、コーヒー、ミルク、お茶、（お）酒、紅茶	ことばカード Ex. ～ (14) 絵カード a ～ o
Task 1　いただきます		
1 小さなお菓子やお茶などを食べたり飲んだりしながら、「食べます／食べました」「飲みます／飲みました」を体験する。 2 質問に答える。	・食べましょう、飲みましょう、いただきます、ごちそうさま、おいしいです、おいしそうです ・Q: 何を食べましたか。 　A: ～を食べました。 　Q: 何を飲みましたか。 　A: ～を飲みました。	ことばカード（日本語） ことばカード（英語） ＊お茶などの飲み物 ＊湯呑み ＊小さなお菓子
Task 2　リズム・イントネーション		
意味のまとまりを一息で言えるようにリズムに合わせてテンポよく繰り返し発音練習する。	・田中さんは／晩ご飯を／食べます。 ・レストランで／食べます。 ・友だちと／食べます。　　など	リズム・イントネーションのイラスト
Task 3　わたしの メニュー		
1 食料品チラシから写真を切り取り、「私の毎日のメニュー」を作る。 2 クラスで発表して学習者同士で比べる。	・毎日／よく／ときどき パンを食べます。 ・あまり／ぜんぜん コーヒーを飲みません。	＊実際の食料品のチラシ（多数） ＊はさみ ＊のり
Task 4　なにか たべませんか		
1 2 コママンガの流れに沿って誘ったり誘われたりして、友だちと一緒にレストランに行く。	・A: おなかがすきました。 　B: 私もです。 　A: 何か食べませんか。 　B: いいですね。食べましょう。 ・もう～ました。／まだです。	コママンガ
Final Task　レストランで		
1 2 3 （「レストラン」を体験する） レストランでそつなく振る舞う。（入店する➡席につく➡注文する➡会計を頼む➡支払う）	・ふたりです。 ・ノースモーキング、お願いします。 ・おすすめは何ですか。 ・肉ですか。魚ですか。野菜ですか。 ・これは野菜ですか。 ・じゃ、これ、お願いします。 ・すみません。お会計、お願いします。 ・別々でお願いします。	ことばカード（日本語） ことばカード（英語） コママンガ メニューのイラスト ＊レジに見立てたもの ＊灰皿 ＊レストランの入口のサイン

＊は教師が自分で準備するもの（CD-ROMには含まれていない）

Unit 8 さいこうの にちようび (p. 85)
(My perfect Sunday)

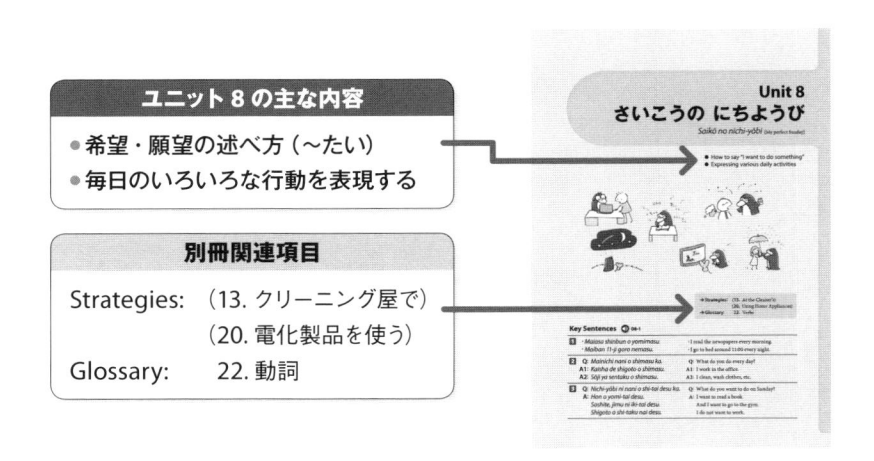

ユニット 8 の主な内容
- 希望・願望の述べ方（〜たい）
- 毎日のいろいろな行動を表現する

別冊関連項目
Strategies: （13. クリーニング屋で）
　　　　　　（20. 電化製品を使う）
Glossary:　22. 動詞

　ユニット 8 では、日常生活の様子と希望・願望をテーマに活動します。ここで学ぶ動詞は、ユニット 7 に続き「動作動詞」で、目的語を取る動詞（「読みます」「聞きます」「見ます」「(仕事を)します」「(掃除を)します」など）と目的語を取らない動詞（「起きます」「寝ます」「休みます」など）の 14 の動詞を学びます。これらの動詞を使って、自分たちが日ごろどんなことをしているのか話し合い、また「〜たいです」を用いて、自分の希望を述べます。多くの新しい動詞を使ってコミュニケーションをすることは大変なチャレンジですが、インタビュー活動を通して学習者同士で無理なく情報交換をすることができるはずです。それぞれの日常の様子や希望もわかり、楽しいクラスになるでしょう。Final Task では自分にとっての「最高の日曜日」をクラスで発表します。

■ Key Sentences (p. 85) 08-1

1
- 毎朝 新聞を読みます。
- 毎晩 11 時ごろ寝ます。

2
Q: 毎日何をしますか。
A1: 会社で仕事をします。
A2: 掃除や洗濯をします。

3
Q: 日曜日に何をしたいですか。
A: 本を読みたいです。
　そして、ジムに行きたいです。
　仕事をしたくないです。

さいこうの にちようび　Unit 8

Words for This Unit (p. 86)　🔊 08-2

教材　ことばカード Ex. ～ (11)、絵カード a ～ l

　ヒントやジェスチャーを使ってことばの意味を類推したり、絵カードとことばカードを使ってマッチングしたりして、新しいことばをゲーム感覚で覚えていきます。（教え方：Unit 3「Words for Tasks 4-5 and Final Task」本書 p. 42 を参照）

　最後にテキストを開いて日本語と絵をマッチングし、正しくことばを覚えたかどうか確認します。

Task 1　リズム・イントネーション (Rhythm / Intonation)

■ CD を聞いてリピートしましょう (p. 87)　🔊 08-3　（スクリプト：p.155）

教材　リズム・イントネーションのイラスト

　ユニット 5 やユニット 7 の「リズム・イントネーション」と同じように練習します。（教え方：Unit 5「Task 3」本書 p. 59 を参照）

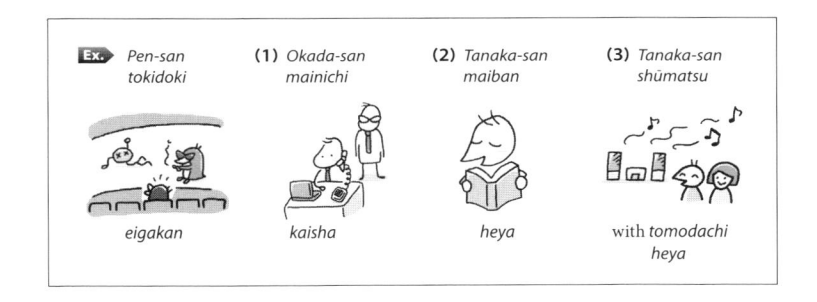

Ex. Pen-san tokidoki	(1) Okada-san mainichi	(2) Tanaka-san maiban	(3) Tanaka-san shūmatsu
eigakan	kaisha	heya	with tomodachi heya

Task 2　まいにち なにを しますか　*Mainichi nani o shimasu ka* (What do you do every day?)

1　「なに」「どこ」「だれ」「いつ」「なんじ」を使って、疑問文を作りましょう (p. 87)

教材　ペンさんの家のイラスト

　まず、学習者はイラストを見て、「ペンさんが友だちと家でパーティーをしている」という状況を理解します。先生がイラストの中の疑問詞「When?」「Where?」などを指し、学習者が疑問文を作ります。

2　Pair Work　お互いに質問してシートの空欄を埋めましょう (p. 88)　🔊「まいにち」08-4　「しゅうまつ」08-5

　学習者同士がペアになり、1 人がシート A (p. 88)、もう 1 人がシート B (p. 94) を見ながら、シートの空欄部分についてお互いに例のように質問し合います。答えがわかったら、それぞれのシートに書き入れます。

Task 3　わたしの まいにち *Watashi no mainichi* (My daily activities)

1　毎日の行動のチェックリスト (p. 89) 🔊 08-6

A リストの中で、あなたがいつもしていることに〇、していないことに×を書きましょう

日ごろ、どんなことをしているのか、自分の日常の行動について話し合う活動です。まず、先生がチェックリストの (1) の項目に関して、以下のように話しかけます。

> T：毎朝 7 時に起きますか。「はい」？「いいえ」？
> S1：いいえ。
> T：じゃ、S1 さんは「×」をここに書きます。（チェックリストの「**A** You」の欄を指して）
> T：S2 さんは？ 毎朝 7 時に起きますか。「はい」？「いいえ」？
> S2：はい。
> T：じゃ、S2 さんは「〇」をここに書きます。（S2 のテキストの同じ場所を指して）

その後、学習者は各々 (1) から (12) まで、〇×を書き入れます。

B パートナーに質問して、彼／彼女がしていることに〇、していないことに×を書きましょう

今度は学習者同士で (1) ～ (12) について質問し合い、「**B** Partner」の欄に〇×を書き入れます。×を書いた項目に関しては、自分がしていることを自然と話したくなるようです。例えば、(1)「毎朝 7 時に起きます」に×を書いた学習者は「7 時じゃないです。8 時に起きます」、(7)「午後、ときどき会議をします」の場合は「会議をしません。ときどき、ジョギングをします」などです。ここではその気持ちを尊重して、どんどん話してもらうといいでしょう。別冊の「Glossary 22. 動詞」で必要な動詞を補うなどして、間違いを恐れずに積極的に話す態度が育つよう、先生は学習者を助けます。

2　あなたとパートナーで一番違うところをクラスで発表しましょう (p. 89)

パートナー同士で情報を交換し合ったら、最後に 2 人で一番違う点をクラスで発表します。「へえ、そんなことが違うんだ」というような思いがけない発見もあり、クラスが盛り上がります。

Task 4　のみたいです *Nomi-tai desu* (I watn to drink)

1　表現と絵をマッチングしましょう (p. 90) 🔊 08-7

教材 絵カード (1) ～ (6)

イラストを見て「～たいです」「～たくないです」の意味を理解します。イラストの状況に合った短いストーリーを聞かせると、心情も伝わって「～たい」の意味が記憶に深く残ります。例えば、(5) のネコと金魚の絵を見せ、「魚です。おいしそうです。おなかがすきました。食べたいです。ニャーニャー」などです。

さいこうの にちようび　Unit 8

2 「したいこと」リスト (p. 90) 🔊 08-8

A リストの中で、あなたがしたいことに〇、したくないことに× を書きましょう

進め方は Task 3 の 1 - A と同じです。

B パートナーに質問して、彼／彼女がしたいことに〇、したくな いことに×を書きましょう

今度は学習者同士で (1) ～ (6) について質問をし合い、〇×を表に書き入れます。Task 3 と同様、「間違いを恐れず話す態度を育てる」ことも目標です。

Final Task　さいこうの にちようび　Saikō no nichi-yōbi (My perfect Sunday)

1 ペンさんの「最高の日曜日」を聞いて、空欄を埋めましょう (p. 91) 🔊 08-9

CD を聞いて、①～⑧の空欄を埋めます。この活動は、次のプレゼンテーションの準備段階です。

2 あなたの「最高の日曜日」をクラスで発表しましょう (p. 91)

まず、自分にとっての「最高の日曜日」のプレゼンテーション原稿を作成します。1 のペンさんの「最高の日曜日」と同じように、朝、午後、夜に分けて作成します。文を書くというより、メモ程度のものを書くように伝えます。別冊の「Glossary 22. 動詞」を参考にすると、話題が広がります。プレゼンテーション原稿を作成したら、クラスで発表します。

原稿作成と練習には時間がかかるので、宿題にするといいでしょう。発表の際はできるだけ原稿を見ないように指導します。

Part 2　各ユニットの進め方

Unit 8 の流れ

活動の内容	日本語	教材
Words for This Unit		
先生のヒントから意味を類推したり、カードをマッチングしたりする。	寝ます、本を読みます、仕事をします、勉強をします、起きます、映画を見ます、テニスをします、音楽を聞きます、洗濯をします、パーティーをします、休みます、何をしますか	ことばカード Ex.〜(11) 絵カード a〜l
Task 1　リズム・イントネーション		
意味のまとまりを一息で言えるよう、リズムに合わせてテンポよく繰り返し発音練習する。	・ペンさんは／ときどき／映画を／見ます。／映画館で／見ます。 ・田中さんは／週末／音楽を／聞きます。／友だちと／聞きます。／部屋で／聞きます。 など	リズム・イントネーションのイラスト
Task 2　まいにち なにを しますか		
① イラストを見て疑問文を作る。 ② シートA・Bを使って、学習者がペアで毎日または週末することを質問し合う。	・何をしますか ・いつしますか。 ・何時から／何時まで しますか。 ・どこでしますか。 ・誰としますか。	ペンさんの家のイラスト
Task 3　わたしの まいにち		
① インタビュー活動：チェックリストの行動を日常するかどうか、ペアで質問し合う。 ② 一番違う点をクラスで発表する。	Q: 毎朝7時に起きますか。 A1: 7時に起きます。 A2: 7時に起きません。8時に起きます。 など	
Task 4　のみたいです		
① イラストを見てことばの意味を類推する。 ② インタビュー活動：チェックリストの行動をしたいかどうか質問し合い、学習者同士で比べる。	・飲みたいです、帰りたいです、帰りたくないです、休みたいです、食べたいです、食べたくないです ・Q: 日曜日の朝、10時ごろ起きたいですか。 A1: 10時ごろ起きたいです。 A2: 10時ごろ起きたくないです。12時ごろ起きたいです。　など	絵カード(1)〜(6)
Final Task　さいこうの にちようび		
① CDのプレゼンテーションを聞いて、文を完成させる。 ② 自分にとっての「最高の日曜日」のプレゼンテーション原稿（メモ程度でよい）を書き、クラスで発表する。	「日曜日の朝、私は〜時ごろ起きたいです。そして、……。午後、映画館で映画を見たいです。夜、レストランで友だちと日本料理を食べたいです。……洗濯や掃除はしたくないです。部屋で本を読みたいです。そして、……」など	

Unit 9 それ、いいですね！ (p. 95)
(That's nice!)

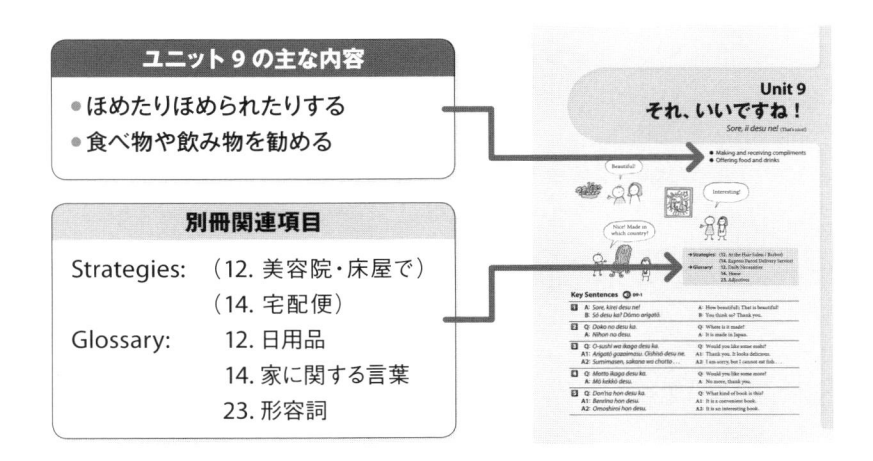

ユニット9の主な内容
- ほめたりほめられたりする
- 食べ物や飲み物を勧める

別冊関連項目
Strategies: （12. 美容院・床屋で）
（14. 宅配便）
Glossary: 12. 日用品
14. 家に関する言葉
23. 形容詞

　ユニット9のテーマは「社交」です。相手の持ち物をほめたり、友人宅を訪問して家具をほめたり、茶菓の接待を受けるなどの活動を行い、その中で「いい」「おいしい」「おもしろい」「新しい」「古い」「高い」「安い」「かっこいい」「軽い」「きれいな」「便利な」「有名な」など、多くの形容詞と文法ルールを学びます。いくつかの形容詞（「いいです」「おもしろいです」「おいしいです」など）はすでに紹介されていますが、形容詞の文法をきちんと学ぶのはユニット9が初めてです。

　形容詞の学習は、初級学習者にとって大変なチャレンジです。形容詞を覚え、「い形容詞」か「な形容詞」かを区別し、それぞれの活用の形を覚え、接続のルールを理解し、その上で使い分けなければならないからです。この課題に対してユニット9では、「何かをほめること」を軸に学習を展開します。クラスで先生は、学習者の主な注意が活動そのものに置かれるように振る舞ってください。その上で、学習者が目標の形容詞をできる限り使うようリードします。

　このユニットでは、主に「ほめる」ための形容詞を学習し、人の性格や感情を表す形容詞は特に練習しません。感情を表す形容詞はユニット10、性格を表す形容詞はBook 2で学習します。

■ Key Sentences (p. 95) 🔊 09-1

1 A: それ、きれいですね！
B: そうですか？ どうもありがとう。

2 Q: どこのですか。
A: 日本のです。

3 Q: おすしはいかがですか。
A1: ありがとうございます。おいしそうですね。
A2: すみません、魚はちょっと…

4 Q: もっといかがですか。
A: もうけっこうです。

5 Q: どんな本ですか。
A1: 便利な本です。
A2: おもしろい本です。

Part 2　各ユニットの進め方

Task 1　それ、きれいですね！　*Sore, kirei desu ne!* (How beautiful!)

Words for the Task (p. 96) 🔊 09-2

ほめる時によく使う10個の形容詞（「いい」「かわいい」「かっこいい」「おもしろい」「あたらしい」「やすい」「たかい」「かるい」「べんり」「きれい」）が紹介されています。意味と発音が一通りわかったら、**1**に進みます。ここで慣れるまで繰り返し練習する必要はありません。次の活動の中で実際に使うことによって、新しいことばに慣れていくことができます。

1　Tryout　パートナーの持ち物をほめましょう (p. 96) 🔊 09-3

教材　＊先生や学習者の持ち物

テキストは開かず、以下のようにいきなりコミュニケーション活動を始めます。まず先生が学習者に話しかけます。

> T：S1さん、それ、いいですね。（S1の持ち物を手で指し示して）
> S1：ありがとうございます。
> T：あ！S2さん、それ、きれいですね。きれい。（S2の持ち物を手で指し示して）
> S2：ありがとうございます。
> T：ちょっと、いいですか。（S2のかばんを手に取る）
> 　みなさん、どうですか。どう？　これ、きれいですね。（全員で一緒に言うように促しながら）
> S全：きれいですね。
> T：S3さん、それ、いいですね。便利ですか。（S3の携帯電話を指し示しながら）
> S3：べんり？　何ですか。わかりません。

学習者が「便利」の意味がわからないようであれば、**Words for the Task** を見るように促します。次に、学習者同士でコミュニケーションするよう、以下のように促します。

> T：あ！S4さんのマフラー、いいですね。かわいいですね。（全員にほめるよう促しながら）
> S全：いいですね。かわいいです。
> T：じゃ、みなさん、S4さんに質問をお願いします。どうぞ。
> S1：どこで買いましたか。
> S4：原宿で買いました。
> S1：いくらですか。（はっきりした口調で質問している）
> T：「いくらですか」は、ちょっと……（「ダメダメ」という様子を見せながら）
> 　すみません、あの……い、いくらですか。（見本を示す）
> S1：S4さん、すみません、あの……い、いくらですか

ほめ合っているうちに学習者は、どこで買ったのか、いくらぐらいなのか、自然と質問したくなるようです。実際にこの活動をすると、あちこちでいろいろな質問が出て盛り上がります。ただし、値段を聞くことについては、日本では特に親しい友人でない限り失礼にあたるので、学習者が「いくらですか」と質問したら、「すみません、あの……いくらですか」と遠慮がちに質問する方法を紹介します。さらに理解を深めるために、テキストを開いてGrammar 7 (p.107) を読むように示します。

ほめられた物が誰かからのプレゼントだったということもよくあります。学習者が「プレゼント」ということばを知らないようであれば、先生が何気なく会話に参加し、以下のようにリードします。

S1：どこで買いましたか。
S4：いいえ。買いませんでした。
T：買いませんでした？ じゃ、プレゼントですか。
S4：はい。
S2：誰のプレゼントですか。
S4：友だちのです。

その後、学習者同士でペアになり、同様の活動を行います。先生はクラスを回ってコミュニケーションに参加したり、間違いを訂正したりします。

ほめられたら同じ物をプレゼントするという習慣を持つ国もあるので、日本ではそのような習慣はないということも知らせておきましょう。

2 CDを聞いて、正しい答えを選びましょう (p. 97)

(1) **09-4**　(2) **09-5**　(3) **09-6**　(3) **09-7**　（スクリプト：p. 155）

（ほめるときのトーンやイントネーションに注意しましょう。）

教材 イラスト(1)～(4)

CDの会話(1)～(4)を聞き、質問に答えます。先生がイラストの中のどちらの人が話しているか示すと、学習者は状況がわかり、理解しやすくなります。

3 Shadowing 2-(3) の会話をCDと一緒に言いましょう (p. 98) **09-8**

（ほめるときのトーンやイントネーションに注意しましょう。）

p. 98の会話を見ながら、CDの音声に合わせて同じように会話します。この会話は 2-(3) で聞いた会話と同じです。ほめられて「ありがとう」とお礼を述べたり、「軽いですね！」と感心したり、「えっ？ 安いですね！」と驚いたりする際のイントネーションやポーズなどに十分注意して練習しましょう。特に「すみません、あの……いくらですか」を言うときは、「失礼なことはしたくないのですが、お聞きしてもいいでしょうか」という気持ちを込めて練習します。（p. 107のGrammar 7参照）

Task 2　ともだちの うちで　*Tomodachi no uchi de* (At your friend's house)

■ 友だちの家のいろいろなものをほめましょう (p. 99)

教材 *絵、人形、テレビなどの家具やインテリア（電気製品はブランド名がわかりやすいもの、絵や人形はどこの国かわかりやすいものがよい）

テキストは開かず、まず友だちの家のインテリアをほめるという状況を、限りなくリアルに体験します。教室に、興味深い民芸品、新しいモデルのテレビ（写真）、絵画、花（写真）などを飾ってください。まず、先生がお客様、学習者がホスト役になります。ホスト役の学習者は2人いた方が話題が広がります。

T：ここは S1 さんと S2 さんのうちです。私は友だちです。ピンポーン。
T：こんにちは。（家の中に入っていく）
　　失礼します。わあ、きれいですね。どこのですか。（飾ってある人形を見て）
S1：インドネシアのです。
T：そうですか。いいですね。インドネシアに行きましたか。
S1：はい。／いいえ、プレゼントです。
T：これ、かっこいいですね。新しいモデルですか。（テレビを見て）
S2：はい。先週買いました。

うち（教室）を回って、ほかの物についても、ほめたりほめられたりします。

次に学習者同士でホストとゲストになり、同様の活動を行います。一斉にワイワイ訪問し、うち（教室）を回ってほめたりほめられたりします。先生はコミュニケーションに参加したり、間違いを訂正したりします。

最後に、いま行った活動の確認をします。テキストを開き、(1)〜(6)の絵に合った表現を下線の部分に書き入れます。(4)日本のですか（日本製ですか）、(5)どこのですか（どこの国の製品ですか）、(6)どこのですか（どこのメーカーの製品ですか）は、ここで初めて学ぶ表現です。学習者がわからないようであれば、Key Sentence 2 (p. 95) や Vocabulary (p. 108) で意味を確認してください。

Task 3　おすしは いかがですか　*O-sushi wa ikaga desu ka* (Would you like some sushi?)

1 ペンさんは森さんの家にいます。いま、パーティーの最中です。それぞれのマンガの吹き出しに合う表現を選びましょう (p. 100)

教材 絵カード（おすし、焼き鳥）、*料理や飲み物の写真、コママンガ

まず先生がホストになり、学習者に茶菓の接待をします。いろいろな国のおいしそうな料理やお酒、お菓子、フルーツなどの写真を用意すると、話題が弾みます。また、いろいろな種類の食べ物や飲み物を使うことで、何回も勧めたり断ったりできるので、覚えようとしなくても自然と表現に慣れることができます。テキストは開きません。

それ、いいですね！　Unit 9

> T：どうぞ。（椅子に座るよう促す）
> S1：ありがとうございます。
> T：どうぞ。（お茶とお菓子を勧める）
> S2：おいしい！おいしいです。どこのですか。
> T：ベトナムのです。

同様に、先生がいろいろな国の料理や飲み物（写真）などを勧め、学習者は自由に会話します。

> T：おすしはいかがですか。（おすしを持ってくる）
> S1：ありがとうございます。（TはSに「いただきます。おいしそうですね。」と言うように促す）
> S2：いただきます。おいしそうですね。
> T：もっと、いかがですか。（さらに、おすしを持ってくる）
> S1/S2：いただきます。おいしそうですね。
> T：もっと、いかがですか。（さらに、おすしを持ってくる）
> S1/S2：いいえ……（TはSに「もうけっこうです」と言うように促す）
> S1/S2：もう、けっこうです。

ペンさんはもともと鳥類なので、鶏肉を勧められても食べられません。（コマ **4**）

その後、テキストを開いて、①〜⑥の吹き出しそれぞれに合った表現をa〜gから選びます。最後にマンガを見ながら通して読み、会話を確認したら、**2**の練習に進みます。

2 Shadowing CDと一緒に言いましょう (p. 100) 🔊 09-9

1のマンガを見ながら、CDに合わせてシャドーイングの練習をします。この練習では、スピードやイントネーション、表情の出し方まで、できるだけCDと同じように言ってみることが大切です。

Task 4　けいようし　*Keiyōshi* (Adjectives)

Task 1〜3では、ほめ合ったり、茶菓の接待を受けたりする活動を通して、自然な形で新しいことば（形容詞）を使う練習をしてきました。Task 4では、日本語の形容詞に2種類あることを意識して（絵カードでは●と★のマークで区別）、いままでの活動で使った形容詞の意味と形を確認します。

「いい」はすでにユニット1で学んでいますが、相手に許可を求める「いいですか (OK?)」なので、ユニット9の「いい (good)」とは意味が異なります。学習者によってはこの違いを意識せず受け入れるようですが、気にする学習者もいます。学習者から質問があれば、意味の違いを説明します。

1 ことばと絵をマッチングしましょう (p. 101) 🔊 09-10
（●と★は2つの異なる形容詞であることに注意しましょう。）

教材 ことばカード Ex. 〜 (15)、絵カード a 〜 p

まず Ex. 〜 (15) の形容詞を、「い形容詞」と「な形容詞」にグループ分けします。先生は「*i*-adjective」「*na*-adjective」と板書し、以下のように話しかけます。

> T:「高い」は「i-adjective」です。(「i-adjective」の板書の下に「たかい(takai)」のカードを貼る)
> 　「安い」は「i-adjective」ですか、「na-adjective」ですか。
> S:？？？？ (Tは、「やすい(yasui)」の「i」の文字を指す)
> S:「i-adjective」です。
> T:そうです。(「i-adjective」の板書の下に「やすい(yasui)」のカードを貼る)
> T:「げんき」は「i-adjective」ですか、「na-adjective」ですか。
> S:「i-adjective」です。
> T:え?「い」がありますか。(「げんき(genki)」のカードを指しながら)
> S:ありません。「na-adjective」。
> T:そうです。(「na-adjective」の板書の下に、「げんき(genki)」のカードを貼る)

ここで問題になるのは「na-adjective」であるにもかかわらず、「きれい」「ゆうめい」は語末が「い」であることです。「例外です」と言ってしまえば済むことですが、腑に落ちない印象はどうしても残るでしょう。その場合は以下のように説明します。

> T:聞いてください。(耳に手を当てて、よく聞くようにジェスチャーで示す)
> 　「きれえ」。(「きれい(kirei)」のカードを見せながら、発音が「きれえ」であることに気づかせる)
> 　「ゆうめえ」。(「ゆうめい(yūmei)」カードを見せながら、発音が「ゆうめえ」であることに気づかせる)

「高い」「おいしい」など、い形容詞の語末の発音が「い」であるのに対し、な形容詞の「きれい」「有名」は表記は「い」であっても発音は「え」であることに注目させると、学習者は納得します。

その後、絵カードとことばカードを使って、マッチングの練習をします。(教え方:Unit 3「Words for Tasks 4-5 and Final Task」本書 p. 42 参照)

2 カードゲーム(グループ) (p. 102)

教材 絵カード a 〜 p

形容詞を効率的に覚えるための活動です。クラス全員でカルタ取りをします。慣れてきたら、お手付き制度を導入します。「きれいです」と先生が言えば学習者は「きれい」の絵カードを取りますが、先生が「きれいじゃないです」と言ったら何も取ってはいけません。お手付きをしたら、自分の取った絵カードを戻さなくてはなりません。形容詞の否定形の練習にもなり、最後まで聞かないとカードが取れないのでワクワク感も高まります。

3 カードゲーム(ペア) (p. 102)

教材 絵カード a 〜 p

学習者2人でペアになり、2人同時に自分の絵カードを相手に見えるように頭の上にかざします。先に相手の絵カードの形容詞を言った方が勝ちです。グループ対抗にすると、勝ち負けがはっきりしてクラス全体が盛り上がります。

それ、いいですね！　Unit 9

　カードゲームで大切なことは、学習者の注意がゲームそのものに置かれるような雰囲気を作ることです。点数制にしたり、時間を制限するなどしてゲーム性を高めるのも一案ですが、まず先生がゲームを真剣に楽しむことが雰囲気作りの決め手となります。

Task 5　リズム・イントネーション (Rhythm / Intonation)

■ CDを聞いてリピートしましょう (p. 102)

　初めて形容詞を学ぶとき、学習者は次のような文法ルールを覚えなければ、正確な形容詞文を作ることができません。①い形容詞か、な形容詞かの区別、②い形容詞の活用、③い形容詞の名詞修飾の形、④な形容詞の活用、⑤な形容詞の名詞修飾の形、の5つの文法ルールです。それらを一気に覚えて使うことは、初級学習者にとって決して簡単なことではありません。そのため、Task 1 から Task 3 までは現場型の活動 (here-and-now task) を繰り返し行い、学習者が「十分にコミュニケーションできた」という実感を持つことを優先しました。その過程でそろそろ新しい形容詞にも慣れたはずです。Task 5 は発音練習ですが、単なる発音練習ではありません。美しく発音しようと文を何度も繰り返すことによって、学習者が自然と形容詞文に慣れることを目的としています。

A (p. 102) 09-11

　平叙文のイントネーションの練習です。単語の一部分を特に強く発音することのないように、平板なイントネーションを意識して発音練習をします。先生と一緒に図のような動作をしながら発音すると、日本語の高低アクセントや平板なイントネーションへの意識が高まり、ひとつひとつの音に注目しすぎることなく自然な発音が身に付きます。

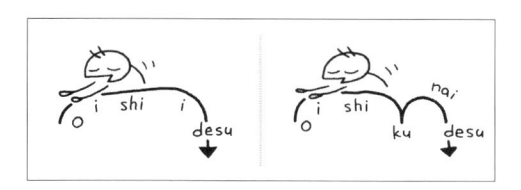

B (p. 103) 09-12

　疑問詞疑問文と答えの発音練習です。先生と一緒に図のような動作をしながら発音します。疑問詞疑問文の場合は文頭から文末へ滝が落ちるように下降し、最後の「か」の部分で若干上がること、答え（平叙文）の場合は文頭から文末にかけて台形型に発音されることを意識して、何度か繰り返し練習します。

　A B とも、いままでの「リズム・イントネーション」と同様に、発音に注意しながら動作をつけて何度も文を繰り返すことによって、形容詞文の構造に慣れることも目的にしています。慣れてきたら、CDの音声に合わせて一緒に言う練習をします。

Part 2　各ユニットの進め方

Final Task　おかださんの とけい　*Okada-san no tokei* (Okada-san's watch)

（最終タスクでは、友だちの持ち物をほめるプレゼンテーションをします。）

1　モデルプレゼンテーションを聞いて、質問に答えましょう (p. 103)　🔊 Ⓐ 09-13　Ⓑ 09-14

Ⓐ 森さんのかばん・Ⓑ 岡田さんの時計に関するプレゼンテーションを聞き、それぞれの質問に答えます。2つのプレゼンテーションは ❷ の Ⓐ Ⓑ と同じですが、学習者はそれを知りません。

2　Shadowing CD と一緒にプレゼンテーションしましょう (p. 104)　🔊 Ⓐ 09-15　Ⓑ 09-16

Ⓐ Ⓑ それぞれ、テキストに書かれている文を見ながら、CD に合わせて一緒に発話します。

3　友だちの持ち物をほめるプレゼンテーションを作り、クラスで発表しましょう (p. 104)

最終タスクではプレゼンテーションを行います。プレゼンテーションは Task 1 から Task 4 までのコミュニケーション活動と異なります。Task 4 までは 1 対 1 のコミュニケーションで、「きれいですね」「それ、いいですね」という感嘆文の形でほめましたが、プレゼンテーションでは多くの人の前できちんと物の様子を説明する文、つまり「これはきれいです」「これはきれいなかばんです」というフルセンテンスで話すことが要求されます。

プレゼンテーション原稿を作成するときは、❷ の Ⓐ（森さんのかばん）・Ⓑ（岡田さんの時計）をモデルにします。別冊「Glorrasy 23. 形容詞」を参考にすると、学習者の自由度が増し、話題が広がるでしょう。

学習者によっては原稿作成とプレゼンテーションの練習に時間がかかるので、復習の意味も含め、宿題にします。クラスで発表するときは、できるだけ書いたものを見ないように指導してください。

Self-check　Two Types of Adjectives （2つのタイプの形容詞）

（日本語には 2 つのタイプの形容詞があります。●のついた形容詞は「い形容詞」、★のついた形容詞は「な形容詞」と呼ばれています。）

形容詞の文法のまとめです。文の形を視覚的に確認することによって文法知識を整理し、応用力をつけることを目的としています。文法の学習は、学習者それぞれのペースに合わせたほうが効果的なことが多いので、宿題にするといいでしょう。

▶ **1. い形容詞には●、な形容詞には★を（　　）に入れましょう** (p. 105)

い形容詞とな形容詞を分ける練習です。

▶ **2. 日本語に訳しましょう** (p. 105)

(1) ～ (6) の英文を日本語に訳します。形容詞の基本的な文法を正確に理解したかどうか、確認することができます。

それ、いいですね！　Unit 9

Unit 9 の流れ

活動の内容	日本語	教材
Task 1　それ、きれいですね！		
① ② ③ ・形容詞を使って持ち物をほめ合う。 ・感心したり驚いたりする、失礼にならないように遠慮がちに質問する、など、気持ちを込めた話し方を練習する。	・それ、いいですね。 ・そうですか？ ・すみません、あの…いくらですか。 ・ええっ？　安いですね！	＊先生や学習者の持ち物 イラスト(1)〜(4)
Task 2　ともだちの うちで		
友人宅に招かれ、家具やインテリアなどをほめる。	・きれいですね。/ おもしろいですね。　など ・どこのですか。 ・日本のですか。	＊絵、人形、テレビなどの家具やインテリア
Task 3　おすしは いかがですか		
① ② ・友人宅のパーティーで、勧められた食べ物や飲み物をいただいたり断ったりする。 ・お客様をもてなす。	・おすしはいかがですか。 ・おいしそうですね。 ・もっといかがですか。 ・もうけっこうです。 　など	絵カード（おすし、焼き鳥） ＊料理や飲み物の写真 コママンガ
Task 4　けいようし		
① 形容詞を「い形容詞」と「な形容詞」に分ける。 ② ③ カードを使ってマッチングしたり、ゲームをしたりする。	い形容詞：大きい、小さい、新しい、古い、いい、軽い、高い、安い、おいしい、かわいい、おもしろい、かっこいい な形容詞：便利、きれい、元気、有名	ことばカード Ex.〜(15) 絵カード a〜p
Task 5　リズム・イントネーション		
形容詞文の発音練習：活用と疑問文のイントネーションの練習を、動作をつけて繰り返し行う。	・おいしいです / おいしくないです ・きれいです / きれいじゃないです ・どんな本ですか。/ おもしろい本です。 ・どんな店ですか。/ 便利な店です。 　など	
Final Task　おかださんの とけい		
① CDのプレゼンテーションを聞いて質問に答える。 ② シャドーイングの練習をする。 ③ 友だちの持ち物をほめるプレゼンテーション原稿を書き、クラスで発表する。	「これは森さんのかばんです。日本のじゃないです。アメリカのです。とてもきれいなかばんです。そして、便利です。」など	

＊は教師が自分で準備するもの（CD-ROMには含まれていない）

Unit 10 どうでしたか (p. 109)
(How was it?)

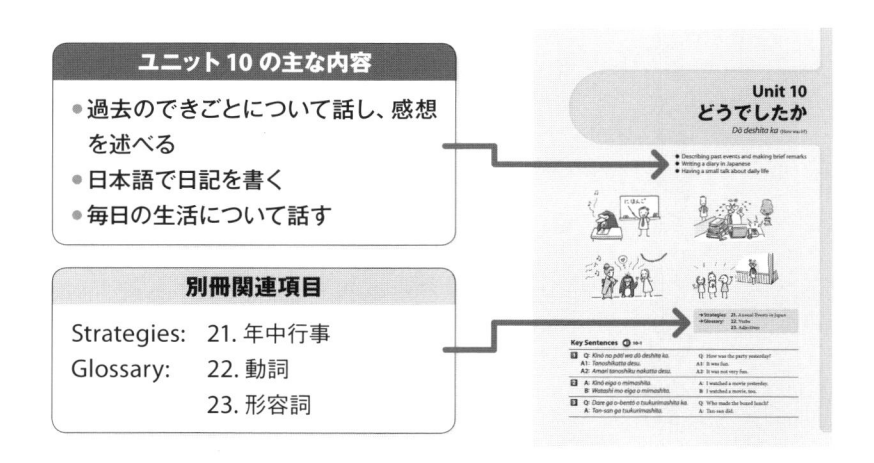

ユニット 10 の主な内容
- 過去のできごとについて話し、感想を述べる
- 日本語で日記を書く
- 毎日の生活について話す

別冊関連項目
Strategies: 21. 年中行事
Glossary: 22. 動詞
23. 形容詞

　ユニット10のテーマは「週末のできごと」です。ここで学ぶ動詞は「会います」「書きます」「作ります」「チェックします」「写真を撮ります」「シャワーを浴びます」、形容詞は「楽しい」「つまらない」「忙しい」「難しい」「やさしい」「静かな」「ひまな」「にぎやかな」「ロマンチックな」で、これらの動詞と形容詞の過去形（肯定・否定）を使って、週末に何をしたのか、それはどうだったか、感想を述べる活動を行います。新しいことばを新しい活用の形（過去形）で使うことはそう容易なことではありません。その上、この段階に来ると、前に学んだことばや活用を忘れてしまう学習者も少なくありません。どのような学習者であれ、無理なく楽しく学習が進められるよう、いろいろな人物の様々な過去のできごとに関して聞いたり話したり、学習者同士で週末の過ごし方をインタビューするなどの活動を行います。Final Taskでは自分の日記を作成し、クラスで発表します。

■ Key Sentences (p. 109)　10-1

1　Q: きのうのパーティーはどうでしたか。
　　A1: 楽しかったです。
　　A2: あまり楽しくなかったです。

2　Q: きのう映画を見ました。
　　A: 私も映画を見ました。

3　Q: 誰がお弁当を作りましたか。
　　A: タンさんが作りました。

どうでしたか　Unit 10

Words for This Unit (p. 110)　🔊 10-2

教材 ことばカード **Ex.** ～(8)、絵カード a～i

ユニット10でよく使う形容詞を学びます。ヒントやジェスチャーを使ってことばの意味を類推したり、絵カードとことばカードを使ってマッチングしたりして、新しいことばをゲーム感覚で覚えていきます。（教え方：Unit 3「Words for Tasks 4-5 and Final Task」本書 p. 42 参照）

最後に、テキストを開いて日本語と絵をマッチングし、正しくことばを覚えたかどうか確認します。

Task 1　リズム・イントネーション (Rhythm / Intonation)

1　CDを聞いてリピートしましょう (p. 111)　🔊 10-3

単語の一部分を特に強く発音することのないように、平板のイントネーションを意識して発音練習します。（教え方：Unit 9「Task 5：リズム・イントネーション **A**」本書 p. 95 参照）

い形容詞とな形容詞の過去形「～かった／くなかった」「～でした／じゃなかったです」はここで初めて学ぶので、Grammar 1 (p. 120) で活用の形を確認します。

2　CDを聞いてリピートしましょう (p. 111)　🔊 10-4

先生は手をメトロノームのように左右に振って、「1・2、1・2」の2拍の等間隔のリズムを刻み、それに合わせて、以下のように練習します。

(1)
T：きのうの／デートは／どうでした／か。（手を左右に振りながら、興味深げに）……一緒に！
T・S：きのうの／デートは／どうでした／か。（手を左右に振りながら）
T：もう一度！
S：きのうの／デートは／どうでした／か。（先生の手の振りに合わせて）

T：きのうは／とても／たのしかった／です。（手を左右に振りながら感情を込めて）……一緒に！
T・S：きのうは／とても／たのしかった／です。（手を左右に振りながら）
T：もう一度！
S：きのうは／とても／たのしかった／です。（先生の手の振りに合わせて）

T：なるほど／それは／よかったです／ね。（手を左右に振りながら、納得したように）……一緒に！
T・S：なるほど／それは／よかったです／ね。（手を左右に振りながら）
T：もう一度！
S：なるほど／それは／よかったです／ね。（先生の手の振りに合わせて）

リズムに注目しながら、喜んだりがっかりしたりと感情を込めることによって、発音は自然になり、また楽しく印象的な練習になります。(2) も同じように練習します。「じつはあまり楽しくなかったです」のせりふは、残念そうに言いましょう。

Task 2 おもしろかったです *Omoshirokatta desu* (It was interesting)

1 ペンさんと山田さんはきのう、同じことをしました。下の絵に合うように (1) ～ (4) の文を完成させましょう (p. 112)

教材 絵カード Ex. ～ (4)

先生が Ex. ～ (4) のペンさん／山田さんの絵カードを見せながら、紙芝居のようにして状況を説明します。

> T：ペンさんはきのう映画を見ました。映画は…面白かったです！（笑いながら楽しそうに）
> 　　山田さんもきのう映画を見ました。映画は…つまらなかったです。（つまらなそうに）

先生が (4) まで絵を見せながら説明したら、学習者が絵を見て形容詞の過去形を p. 113 の下線に書き込みます。新しい助詞「も」もここで紹介されますので、わかりにくいようであれば Grammar 3 (p. 120) で意味を確認します。

2 ①の (1) ～ (4) のペンさんと山田さんの会話を作りましょう (p. 113)　🔊 10-5

学習者 2 人がペアになり、(1) ～ (4) の絵を見ながらペンさんと山田さんの会話を演じます。会話の流れは Ex. を参考にしてください。

Task 3 なにを しましたか *Nani o shimashita ka* (What did you do?)

Words for the Task (p. 114)　🔊 10-6

教材 ことばカード Ex. ～ (8)、絵カード a ～ i

この活動よく使う動詞を学びます。ヒントやジェスチャーを使ってことばの意味を類推したり、絵カードとことばカードを使ってマッチングしたりして、新しいことばをゲーム感覚で覚えていきます。（教え方：Unit 3「Words for Tasks 4-5 and Final Task」本書 p. 42 参照）

最後に、テキストを開いて日本語と絵をマッチングし、正しくことばを覚えたかどうか確認します。

1 ストーリーを聞いて質問に答えましょう (p. 115)

🔊 (Story 1) **10-7**　(Story 2) **10-8**　(Story 3) **10-9**　（スクリプト：p. 155）

Story 1（ペンさん）、Story 2（田中さん）、Story 3（パウロさん）のストーリーを聞いて、それぞれの質問に答えます。内容は CD スクリプト (p. 155) にあります。

「誰がお弁当を作りましたか」のように、主語の「誰」は助詞「が」によってマークされること、同様に、その答え「タンさんが作りました」も「が」によってマークされることは、ここで初めて学びます。こうした抽象的な文法ルールは、意味の違いに直接関係がないので、学習者は見落としがちです。Grammar 2 (p. 120) を読んで「が」の使い方を確認します。

どうでしたか　Unit 10

2　左ページのa～iから絵を2つか3つ選んで、ストーリーを作りましょう (p. 115)

まず、先生が以下のようにストーリーを作ってみせます。

T：きのうパウロさんは公園で散歩をしました。(eの絵を見せながら)
　　そして、シャワーを浴びました。(hの絵を見せながら)

その後、学習者が自分で絵を選んでストーリーを作り、クラスで発表します。

Task 4　せんしゅうの にちようび　*Senshū no nichi-yōbi* (Last Sunday)

■ 先週の日曜日のチェックリスト (p. 116)　🔊 10-10

A　リストの中で、あなたがしたことに〇、しなかったことに×を書きましょう

　日曜日にどんなことをしたか、話し合う活動です。進め方はユニット8のTask 3と同じです。まず、学習者が自分のことについて、(1)～(12)の行動に当てはまるかどうか考え、Aの欄に〇か×を書きます。何をしたらいいかわからない学習者がいたら、先生が表の(1)について、クラス全員に向かって質問します。

T：先週日曜日、7時に起きましたか。「はい」？「いいえ」？
S1：いいえ。
T：じゃ、S1さんは「×」をここに書きます。(チェックリストの「A You」の欄を指して)
T：S2さんは？先週日曜日、7時に起きましたか。「はい」？「いいえ」？
S2：はい。
T：じゃ、S2さんは「〇」をここに書きます。(S2のテキストの同じ場所を指して)

■ せんしゅうの にちようびの あさ *Senshū no nichi-yōbi no asa*	A You	B Partner
(1) 7じに おきました。 *7-ji ni okimashita.*		
(2) シャワーを あびました。 *Shawā o abimashita.*		
(3) メールを チェックしました。 *Mēru o chekku shimashita.*		
(4) そうじと せんたくを しました。 *Sōji to sentaku o shimashita.*		
■ せんしゅうの にちようびの ごご *Senshū no nichi-yōbi no gogo*	A You	B Partner
(5) ともだちに あいました。 *Tomodachi ni aimashita.*		
(6) ともだちと かいものに いきました。 *Tomodachi to kaimono ni ikimashita.*		
(7) ともだちと ロマンチックな えいがを みました。 *Tomodachi to romanchikkuna eiga o mimashita.*		
(8) ひとりで びじゅつかんに いきました。 *Hitoride bijutsukan ni ikimashita.*		
(9) ほんを かいました。 *Hon o kaimashita.*		
■ せんしゅうの にちようびの よる *Senshū no nichi-yōbi no yoru*	A You	B Partner
(10) うちで ばんごはんを つくりました。 *Uchi de ban-gohan o tsukurimashita.*		
(11) レポートを かきました。 *Repōto o kakimashita.*		
(12) 11じごろ ねました。 *11-ji goro nemashita.*		

B　パートナーに質問して、彼／彼女がしたことに〇、しなかったことに×を書きましょう

　今度は学習者同士で(1)～(12)について質問し合い、「B Partner」の欄に〇×を書き入れます。自分が×を書いた項目に関しては、実際には何をしたのか、自然と話したくなるようです。ここではその気持ちを尊重してどんどん話してもらってください。間違いを恐れずに積極的に話す態度を育るためにも有効な活動です。

Task 5　スミスさんの にっき　Sumisu-san no nikki (Smith-san's diary)

Words for the Task (p. 117)　🔊 10-11

　この活動で使うことばを学びます。「ゴールデンウィーク」の期間や「こどもの日」の説明は、別冊「Strategy 21. 年中行事」にあります。

■ 日記を聞きましょう。何をしたかメモを取り、質問に答えましょう (p. 117)

🔊 A 10-12　B 10-13　（スクリプト：p. 156）

　メモを取りながら A （スミスさんの日記）を聞き、(1)～(5) の質問に答えます。全部まとめて聞くのは大変なので、先生は学習者の様子を見て適宜 CD を止め、内容質問をしながら進めてください。例えば、ゆっくり進めたほうがいい学習者が多い場合は、CD「6 時に起きました」➡ 先生「スミスさんは朝何時に起きましたか」などと 1 文ずつ止めて質問したり、朝・午後・夕方・夜の 4 つに分けて聞き取り、「朝、何をしましたか」などと質問します。学習者はそのつどメモを取り、最後にテキストの (1)～(5) の質問に答えます。余裕のある学習者が多いクラスではこのような段取りは省き、CD を聞きながらメモを取り、質問に答えます。

　その後、B （タンさんの日記）を同じように練習します。

Final Task　わたしの にっき　Watashi no nikki (My diary)

■ 自分の週末の日記を書いて、クラスで発表しましょう (p. 119)

　自分の週末の日記を書き、クラスで発表します。文章の流れは、Task 5 のスミスさんとタンさんの日記をモデルにします。できごとだけでなく、感想も書くようにしましょう。日付の言い方は別冊「Glossary 6. 日付」を参考にしてください。「Glossary 22. 動詞」「Glossary 23. 形容詞」の中から適当なことばを選んで日記を作成すると、話題も広がり内容も深まります。日記の作成や発表の練習には時間がかかるので、宿題にするといいでしょう。

　また、名前を伏せて日記文を発表し、クラスで誰の日記か当てるようにすると、より楽しい活動になります。

Unit 10 の流れ

活動の内容	日本語	教材
Words for This Unit		
先生のヒントから意味を類推したり、カードをマッチングしたりする。	おもしろい、楽しい、つまらない、忙しい、難しい、やさしい、静か、ひま、にぎやか	ことばカード Ex. ～ (8) 絵カード a ～ i
Task 1　リズム・イントネーション		
❶ 動作をつけながら「い形容詞」と「な形容詞」の活用を繰り返し発音練習する。 ❷ 形容詞を使った会話を、感情を込めて繰り返し発音練習する。	・おいしいです / おいしくないです / おいしかったです / おいしくなかったです ・ひまです / ひまじゃないです / ひまでした / ひまじゃなかったです ・**A:** きのうの / デートは / どうでしたか。 　**B:** きのうは / とても / 楽しかったです。 　**A:** なるほど / それは / よかったですね。	
Task 2　おもしろかったです		
❶❷ ペンさん・山田さんになりきって、きのうのできごとの感想を述べる。	「ペンさんはきのう映画を見ました。おもしろかったです。山田さんもきのう映画を見ました。つまらなかったです。」など	絵カード Ex. ～ (4)
Task 3　なにを しましたか		
❶ ペンさん・田中さん・パウロさんのきのう / 週末の行動や感想を聞きとって、質問に答える。 ❷ イラストをいくつか選んでストーリーを作る。	・買います、会います、チェックします、写真を撮ります、書きます、散歩をします、ジョギングをします、作ります、シャワーを浴びます ・**Q:** 誰がシャワーを浴びましたか。 　**A:** パウロさんがシャワーを浴びました。 　など ・「きのうパウロさんは公園で散歩をしました。そして、シャワーを浴びました。」など	ことばカード Ex. ～ (8) 絵カード a ～ i
Task 4　せんしゅうの にちようび		
インタビュー活動：チェックリストの行動を、先週の日曜日にしたかどうか質問し合い、学習者同士で比べる。	**Q:** 先週の日曜日の朝、7時に起きましたか。 **A1:** 7時に起きました。 **A2:** 7時に起きませんでした。9時に起きました。　など	
Task 5　スミスさんの にっき		
スミスさん・タンさんの日記を聞き取り、質問に答える。 （Final Task の準備段階）	・「朝、6時に起きました。……。午後、……。夕方、……。夜、友だちのうちで映画を見ました。映画はおもしろかったです。今日はとても楽しかったです。」 など ・**Q:** 午後、何を買いましたか。 　**A:** 靴を買いました。　など	
Final Task　わたしの にっき		
Task 5 の日記文を参考に自分の週末の日記を書き、クラスで発表する。	「朝、……。……。午後……。……。夕方、……。……。夜、……。……。今日はとても楽しかったです。」など	

Unit 11 やすみたいんですが… (p.123)
(Calling in sick)

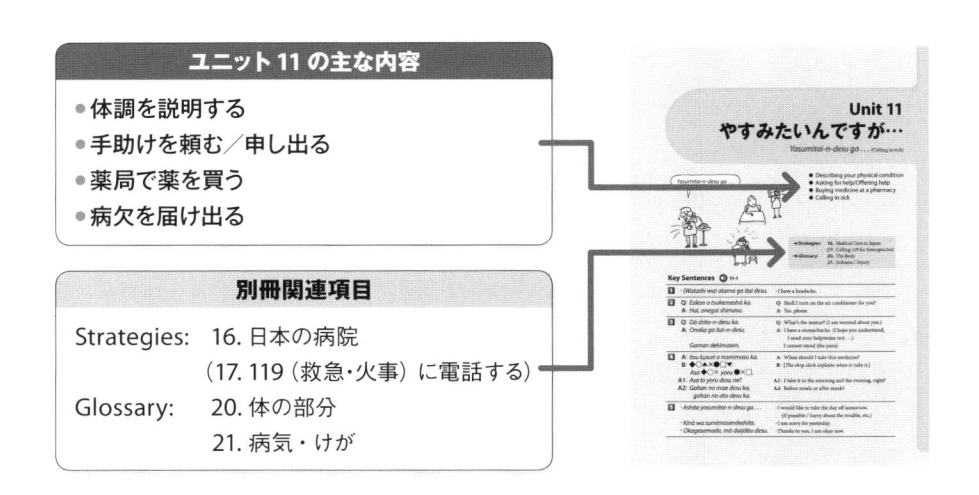

ユニット 11 の主な内容
- 体調を説明する
- 手助けを頼む／申し出る
- 薬局で薬を買う
- 病欠を届け出る

別冊関連項目
Strategies: 16. 日本の病院
（17. 119（救急・火事）に電話する）
Glossary: 20. 体の部分
21. 病気・けが

　ユニット 11 は「病気」をテーマに活動を行います。手助けを申し出る／頼むことと、痛みの程度・場所・頻度・期間などを周りの人に伝えることに焦点を置きます。また、薬局で聞き慣れない日本語に接しても確実に風邪薬を買う方略を身に付け、Final Task では、どのように感じよく病欠を届けるかを学びます。「痛いです」と「痛いんです」、「休みたいです」と「休みたいんですが…」のニュアンスの違いを知り、これを使い分けることによって、周りの日本人とより円満な人間関係を築くことを目指します。

　一般的にでは、「～んです」はもっと先の段階で学習しますが、実際の生活では実に頻繁に使われています。そこでこの段階で、相手に理解を求める便利な表現として、「痛いんです」「休みたいんですが」の 2 つをまず身に付けます。ただし、「～んです」によって付加される意味は、厳密には実際にその場で話している相手としか共有できないもので、極めて状況に依存した表現であることから、使いすぎは危険であることも示しておきましょう。

■ Key Sentences (p.123) 🔊 11-1

1 ・（私は）頭が痛いです。

2 Q: エアコンをつけましょうか。
　　A: はい、お願いします。

3 Q: どうしたんですか。
　　A: おなかが痛いんです。
　　　がまんできません。

4 A: いつ薬を飲みますか。
　　B: ◆○▲×●□▼。朝 ◆○▲× 夜 ●□▼。
　A1: 朝と夜ですね？
　A2: ご飯の前ですか、ご飯の後ですか。

5 ・あした休みたいんですが……
　　・きのうはすみませんでした。
　　・おかげさまで、もう大丈夫です。

やすみたいんですが… Unit 11

Words for This Unit (p.124) 🔊 11-2

このユニットでよく使うことばを学びます。(1)〜(10) は体の部位ですが、(11) は「熱」なので気をつけましょう。

まず、先生が以下のように話しかけます。

T：口。（T が自分の口を指しながら）
T：目。（T が自分の目を指しながら）

T：目。目はどこですか。（顔のどの部分が「目」か示すように促し、S が自分の「目」を指す）
T：口。口はどこですか。（「口」を示すように促し、S が自分の「口」を指す）

T：これは何ですか。（T が自分の口を指しながら）
S：口。
T：これは何ですか。（T が自分の鼻を指しながら）
S：目です。

同じように「鼻」「歯」「耳」など続けて練習します。一通り練習したら、テキストを開いて日本語と英語をマッチングし、正しく覚えたかどうか確認します。

▶ 体調

（絵を見て、空欄を埋めましょう。）

絵を見て (1)〜(6) の空欄に適当な言葉を入れます。(1)〜(5) は「〜が痛いです」という文ですが、(6) は「熱があります」で、文の形が異なっているので注意しましょう。また、「痛い」は「い形容詞」ですが、「〜は〜が痛い」という文の形はいままでの「い形容詞」とは異なっているので、Grammar 1 (p.133) を読んで理解を深めます。

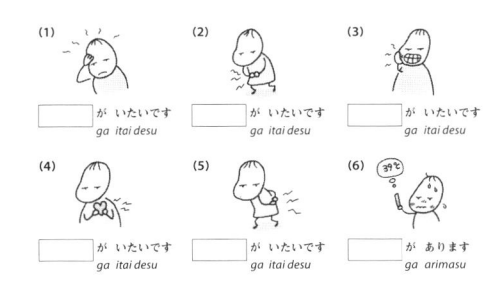

Task 1　どうしたんですか　Dō shita-n-desu ka (What's wrong with you?)

Phrases for the Task (p.125) 🔊 11-3

教材 ことばカード (1)〜(4)（日本語）、ことばカード a〜d（英語）

この活動でよく使うことばを学びます。「どうしたんですか」「持ってきましょうか」「つけましょうか」「消しましょうか」をことばカードを使って紹介し、Grammar 2 (p.133) を読んで理解を深めます。ことばカードはボードに貼ったままにしておきます。

105

1　Tryout　友だちは気分が悪そうです (p. 125)

教材　コママンガ（全体）、*水、*薬、*エアコンのリモコン、*テレビのリモコン

　先生と学習者が実際に動いて、できるだけリアルに会話の状況を体験します。気分の悪くなった先生を学習者が助けるという設定です。

　まず、水と薬を学習者から離れたところに置きます。置きながら「何ですか」と質問し、それらが「水」「薬」であることを確認します。次に、エアコンのリモコンとテレビのリモコンを学習者の机の上に置き、「エアコンのリモコンです」「テレビのリモコンです」と説明します。この時点で学習者はいったい何が始まるのかという感じで、ちょっとワクワクし始めます。先生が突然おなかを抱えてうずくまります。

> T：うっ…。（おなかを抱えてうずくまる）
> S：？？？
> T：う〜ん。（さらに痛そうにおなかを抱えてうずくまる）
> S：？？？
> 　　（T はボードに貼ってあることばカードから適当な表現を選ぶよう促す）
> S1：どうしたんですか。
> T：おなかが痛い……。
> S：？？？
> T：く、くすり…（離れたところに置いた薬を指さす。S が何も言わずに薬を取りに行こうとしたら、ボードのことばカードからの適当な表現を選ぶよう促す）
> S1：薬を持ってきましょうか。
> T：お、お願いします。

　以上のような流れで先生が寒がったり、むせたり、暑がったりして誘導し、学習者が実際に水を運んだりエアコンを調節したりして、先生を助けます。ここで大切なことは、先生が真剣に演技をすることです。早く薬を持ってこなければ死んでしまうくらいの迫力があると、ますます生き生きとした活動になるでしょう。

　その後、テキストを開き、コママンガに沿って学習者同士で練習します。

2　Review　会話を完成させましょう (p. 126)

　いまの体験を振り返って空欄を埋めます。書いたり読んだりすることによって、記憶にきちんと残るようにします。

3　CD Simulation　CD と会話をしましょう (p. 126)　🔊 11-4

　2 の会話文、あるいは 1 のコママンガを見ながら、CD を相手に会話練習をします。学習者は You の役になって、気分の悪い友だちを助けます。もう一度、同じ流れの会話を整理された形で行うことで、よりスムーズに話せるようにします。

Task 2 がまんできません *Gaman dekimasen* (I can't stand it)

■ **Shadowing** CD と一緒に言いましょう (p. 127)

　今度は、学習者が気分が悪くなる場合です。救急車を呼ぶほどではないが、深刻な痛みのある場合は、それがいつ始まったのか、またどのような頻度で痛むのかを伝えることは、とても大切です。
　ここではまず、先生が Friend、学習者が You の役になって、①～③の会話の流れを実際に演じます。その後、学習者同士で演じ、最後に CD に合わせて You の部分のシャドーイングを行います。

① あなたはとても気分が悪いです。体調を説明しましょう 🔊 11-5

　まず英語の指示文を読み、学習者は自分が非常に気分が悪い状況であることを理解します。深刻な痛みであることが他の人に伝わるように、先生は以下のように演技指導をします。

T：どうしたんですか。
S：頭が痛いです……。
T：そうですか。（軽く受け流して、そのまま通りすぎる）
S：？？？
　　（T は小声で「頭が痛いんです」と言うように促す）
S：頭が痛いんです……。（T が「*Atama ga itai-n-desu.*」と板書する）
T：ええっ！　だ、だいじょうぶですか。（とても心配そうに、S の顔をのぞき込む。小声で「がまんできません」と言うように促す）
S：がまんできません。（T が「*Gaman dekimasen.*」と板書する）

　「痛いです」は事実をありのままに述べた表現ですが、「痛いんです」は、「私の状態をわかってほしい、手助けがほしい」などの意味が含まれた表現です。もちろん現実的には「頭が痛いです」と言ってうずくまっている人を放置するようなことはしないと思いますが、「痛いです」と「痛いんです」のニュアンスの違いを学習者にスムーズかつ印象深く伝えるために、ここでは割り切って演じます。さらに学習者は Grammar 3 (p. 133) を読んで、この違いに関して理解を深めます。「がまんできません」もここで初めて学ぶことばなので、単語リスト (p. 135) で意味を確認するといいでしょう。

② 友だちの質問に答えましょう 🔊 11-6

　引き続き、先生が Friend、学習者の 1 人が You になって、テキストを見ながら会話を続けます。「きのうからです」の部分は、「けさからです」「おとといからです」「4 日前からです」、「ずっとです」は「ときどきです」にしてもかまいません。学習者が自由に選んで会話練習をします。

③ 友だちの助けを受けましょう 🔊 11-7

　同様に会話を続けます。

　①～③が一通り終わったら、今度は学習者同士で、全部通して You と Friend を演じます。
　最後に、テキストを見ながら、CD に合わせてシャドーイングの練習をします。この練習では、スピードやイントネーション、表情の出し方まで、できるだけ CD と同じように言うようにします。ここでは自分の体調を説明して助けを得ることが目的なので、学習者は You の部分だけを言います。

Part 2　各ユニットの進め方

Task 3　くすりやで *Kusuri-ya de* (At the drugstore)

Words and Phrases for the Task (p. 128)　🔊 11-8

[教材] ことばカード（日本語）、ことばカード（英語）

この活動に必要なことばを確認します。まず、テキストを見ながら、CDの音声をリピートします。次に、テキストの単語以外にこのタスクで必要になることばカードの表現を確認します。ことばカードは日本語・英語とも、ボードに貼ったままにしておきます。

1　Tryout　あなたは風邪をひいたので、薬局に行きました (p. 128)

[教材] コママンガ、＊薬の袋や薬ビン

薬局に行って適当な風邪薬を選び、服用方法を理解する活動です。実際の場面では、薬局の店員はごく普通に服用方法を説明するため、この段階の学習者には理解できません。どうやって自分の症状にあった薬を選び、店員の説明を正しく理解するか、この活動を通して方略を身に付けます。

まず、コマ①をボードに貼り、以下のように話しかけます。

> T：Sさんは病気です。風邪です。薬屋に行きます。風邪薬を買います。私は薬屋の人です。
> T：いらっしゃいませ。（声色を変えて）
> S：？？？
> 　（Tはボードのことばカードから適当な表現を選ぶよう促す）
> S：風邪薬はありますか。
> T：はい、ございます。どの薬がよろしいでしょうか。どのような症状ですか。
> 　（自然なスピードで）
> S：？？？
> 　（Tはボードのことばカードから適当な表現を選ぶよう促す）
> S：頭が痛いです。熱もあります。
> T：じゃ、これはいかがですか。（薬ビンを手に持って）
> 　お客様の症状にちょうどいいと思います。1日2回、朝晩、食後2錠ずつ服用してください。

このように、学習者が混乱したら先生はボードに貼ってある表現から適当なものを選ばせ、なんとか会話を成立するよう助けます。

薬局に症状を伝えて薬が決まったら、薬の服用方法を理解しなければなりません。正確に理解するためには、キーワードを聞き取り、その上で自分が聞いた内容が正しいかどうか確認することが極めて大切です。以下のようにひとつずつ確認しながら会話を進めます。

> （コマ②をボードに貼る）
> S：1日何回飲みますか。
> T：1日2回、朝晩、食後に飲んでください。
> S：？？？
> 　（Tはボードのことばカードから適当な表現を選ぶよう促し、「1、2、3？」と指を立て、
> 　Sにヒントを出す）

S：1回ですか、2回ですか、3回ですか。
T：2回です。

（コマ③をボードに貼る。学習者が混乱したら、Tは同じようにボードの表現を選ぶように促す）
S：いくつ飲みますか。
T：朝晩、食後に2錠ずつ飲んでください。1回に2つずつです。
S：1かい、2つですね？
T：そうです。

How many pills?

（コマ④をボードに貼る）
S：いつ飲みますか。
T：朝晩の食後です。朝と夜です。
S：朝と夜ですね？
S：ご飯の前ですか、ご飯の後ですか。
T：ご飯の後です。
S：わかりました。じゃ、これをください。

When?

2 Review 薬局での会話を完成させましょう (p. 128)

1 の活動を振り返って、①〜⑧の空欄を埋めます。書いたり読んだりすることによって、きちんと記憶に残るようにします。

3 CD Simulation CD と会話をしましょう (p. 129) 　1 11-9　2 11-10　3 11-11　4 11-12

完成させた 2 の会話を見ながら、CD を相手に会話をします。合図の音が出たら、学習者は You の部分を言います。もう一度、1 で体験したやりとりと同じ流れの会話を整理された形で行うことで、よりスムーズに話せるようにします。

Task 4　びょういんで　Byōin de (At the hospital)

1 あなたは病気になりましたが、以下のことをしたいと思っています。してもいいかどうか、医者に質問しましょう。(p. 130)
　🔊 11-13

教材　イラスト（ペンさんと医者）

(1) 〜 (6) の絵を見ながら、医者に聞く質問を考えて下線部に書き入れます。

「(〜したいです。) いいですか」は、許可を求めるときの表現です。「いいですか」は、すでにユニット1で学んでいますが、このときは「パーティーで隣の席に座ってもいいかどうかたずねる」という設定でした。そして、これを断る場合は、失礼のないように言うことが大切なので、「すみません、ちょっと…」という断り方を練習しました。一方、このタスクは「医者が患者に禁止する」という状況なので、「だめです」という対応が自然です。学習者から質問があったら、誰が誰に向かって話しているのか、状況の違いに注目して練習するといいでしょう。

Part 2　各ユニットの進め方

2　Shadowing　CD と一緒に言いましょう (p. 130)　🔊 11-14

１で作成した質問を見ながら、CD に合わせてシャドーイングの練習をします。この練習では、スピードやイントネーション、表情の出し方まで、できるだけ CD と同じように言うことが大切です。

Final Task　やすみたいんですが… *Yasumitai-n-desu ga…*
(I would like to take the day off)

Phrases for the Task (p. 131)　🔊 11-15

この活動で必要となる表現です。テキストを見ながら CD を聞いて、意味と音声を確認します。

「休みたいです」は単に「休むことを希望している」という気持ちを述べた表現ですが、「休みたいんですが…」は、「みんなに迷惑をかけることは重々承知だが」「たぶん休ませてもらえる状況ではないだろうが」など、様々な意味が付加された表現なので、結果的にソフトで丁寧な訴えとして聞き手に伝わることになることを説明します。さらに、ニュアンスをきちんと理解するために、学習者は Grammar 3 (p. 133) を読んで理解を深めます。

■ それぞれの状況に合う会話を作りましょう (p. 131)　🔊 11-16

教材　イラスト Ex. 〜 (2)

まず、Ex. の ▭ に書かれた状況説明を読み、設定を理解します。このとき、ペンさんのイラストを見せて、例えば「ペンさんは元気ですか」「日本語のクラスが今日ありますか」などど質問をすると、理解がより深まります。それから、Ex. の会話を練習します。学習者がペンさんになって、先生に今日の日本語クラスは休むことを電話し、次の日に、欠席したことのお詫びと元気になったことを伝えます。休んだ場合は次の日にきちんと挨拶することを身に付けておけば、人間関係もより円滑になるでしょう。

次に、(1) の山田さんの状況説明を読み、Ex. のペンさんの青字の部分①②を状況説明の内容に合うように変えて、学習者同士で練習します。(2) の森さんのケースも同じように練習します。

やすみたいんですが… Unit 11

Unit 11 の流れ

活動の内容	日本語	教材
Words for This Unit		
先生が言う体の部分を指さしたり、体調に関することばと絵をマッチングしたりする。	・目、口、鼻、歯、耳、頭、胸、おなか、手、足、腰、熱 ・頭 / おなか / 歯 / 胸 / 腰 が痛いです。熱があります。	
Task 1 どうしたんですか		
1 2 3 気分の悪くなった先生 / 友だちを助ける。	・どうしたんですか。 ・薬 / 水を持ってきましょうか。 ・エアコン / テレビを消しましょうか。 ・エアコンをつけましょうか。	ことばカード (1) ～ (4)（日本語） ことばカード a ～ d（英語） コママンガ（全体） *水、*薬、*エアコンのリモコン、*テレビのリモコン
Task 2 がまんできません		
体調の悪さを感情を込めてアピールし、周りの人に助けてもらう。 （「痛いです」と「痛いんです」の違いを理解する）	・頭が痛いんです。 ・すごく痛いんです。 ・がまんできません。 ・きのう / けさ / おととい / 4日前からです。 ・ずっと / ときどきです。	
Task 3 くすりやで		
1 2 3 （「薬局」をリアルに体験する） 薬局で風邪の症状を伝え、服用方法を正確に理解した上で、薬を買う。	・風邪薬はありますか。 ・頭が痛いです。熱もあります。 ・1日何回飲みますか。 ・1回ですか、2回ですか、3回ですか。 ・いくつ飲みますか。 ・1回2つですね？ ・いつ飲みますか。 ・朝と夜ですね？ ・ご飯の前ですか、ご飯の後ですか。	ことばカード（日本語） ことばカード（英語） コママンガ *薬の袋や薬ビン
Task 4 びょういんで		
1 2 病気になったがやりたいことがたくさんある。してもいいかどうか医者に聞く。	Q: ビールを飲みたいです。いいですか。 A: まだだめです。 　など	イラスト（ペンさんと医者）
Final Task やすみたいんですが…		
・感じよく病欠を電話で伝える。 ・感じよく早退を願い出る。 ・休んだ翌日にきちんと挨拶する。 （「休みたいです」と「休みたいんですが…」の違いを理解する）	・今日、休みたいんですが… ・きのうから頭が痛いんです。 ・あした、がんばります。 ・きのうはすみませんでした。 ・おかげさまで、もう大丈夫です。	イラスト Ex. ～ (2)

*は教師が自分で準備するもの（CD-ROM には含まれていない）

Unit 12 わたしの そだった まち (p. 137)
(My hometown)

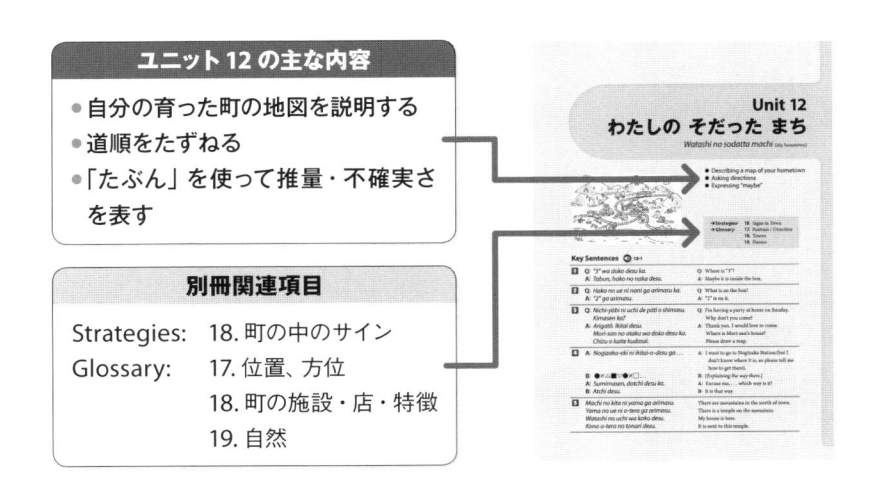

ユニット 12 の主な内容
- 自分の育った町の地図を説明する
- 道順をたずねる
- 「たぶん」を使って推量・不確実さを表す

別冊関連項目
Strategies: 18. 町の中のサイン
Glossary: 17. 位置、方位
18. 町の施設・店・特徴
19. 自然

　ユニット 12 のテーマは「町」です。何がその場所にあるか説明すること（[場所]に何がありますか／〜があります）と、どこにあるか探したり伝えたりすること（〜はどこですか／[場所]です）の2つに焦点を置きます。この2つの言い方は混乱しやすいので、先生は、どちらの活動を行っているか学習者が正しく意識できるように注意しながら活動を進めます。最寄りの駅から自宅までの道順を地図をかきながら説明したり、道に迷って日本人に道順を聞き、なんとか目的地に着いたり、Final Task では自分の育った町の様子や当時のエピソードについて発表します。

　また、「たぶん」を使って最もシンプルに推量を表す練習も行います。推量表現は、一般的にはより進んだ段階で学習する項目ですが、早い時期に使えるようになっておけば、コミュニケーションの幅が一気に広がるでしょう。

■ Key Sentences (p. 137) 12-1

1 Q:「3」はどこですか。
A: たぶん、箱の中です。

2 Q: 箱の上に何がありますか。
A:「2」があります。

3 Q: 日曜日にうちでパーティーをします。来ませんか？
A: ありがとう。行きたいです。
森さんのお宅はどこですか。
地図をかいてください。

4 A: 乃木坂駅に行きたいんですが…
B: ●×△■▽●×□…
A: すみません、どっちですか。
B: あっちです。

5 町の北に山があります。
山の上にお寺があります。
私のうちはここです。
このお寺の隣です。

わたしの そだった まち　Unit 12

Words for This Unit (p. 138)

▶ 方向

1 先生の言う通りに動きましょう

　まず実際に体を動かして、「上」「下」「右」「左」などの方向を示すことばを学びます。先生は、必ず学習者と同じ方向を向いて立ちます。先生と学習者が向き合っていると「左右」「前後」が逆になり、混乱のもとになります。

> T：上。（腕を上げ、上を指す。Sに同じようにするように促す）
> S：（腕を上げ、上を指す）
> T：下。（腕を下げ、下を指す。Sに同じようにするように促す）
> S：（腕を下げ、下を指す）
> T：右。（右を指す）
> S：（右を指す）

「左」「前」「後ろ」も同じように練習します。慣れてきたら、先生は腕を動かさずに「上」「右」などと指示だけ出し、学習者は先生の指示を聞いて腕を動かします。

2 ことばと絵をマッチングしましょう　🔊 12-2

　いまの活動を振り返ります。テキストを開き、ことばと絵のマッチングをして、正しく覚えたかどうか確認します。

▶ 位置

ことばと絵をマッチングしましょう　🔊 12-3

　「箱の上」「箱の右」などの位置を示す言い方を学びます。まず、それぞれの学習者の机の上に箱を置きます。学習者の数が多い場合はグループを作り、各グループにひとつの箱を使います。先生は自分で箱を持ち、学習者と同じ方向を向いて立ちます。

> T：箱の上。（箱の上を手で指さし、「箱の上」の意味を示す）
> T：箱の右。箱の左。箱の中。箱の下。（それぞれの位置を手で示しながら）
> T：箱の下。箱の下はどこですか。
> 　（Sは自分の箱の下を指す）
> T：箱の左。箱の左はどこですか。
> 　（Sは自分の箱の左を指す）
> 　（以下、同様に続ける）

　その後、テキストを開き、ことばと絵のマッチングをして、正しく覚えたかどうか確認します。

Task 1　「3」は どこですか　*"3" wa doko desu ka* (Where is "3"?)

1　Tryout　カードがどこにあるか当てましょう （p. 139）　🔊 12-4

教材　*箱、*数字カードまたはトランプ（1 から 7 まで）　※学習者の人数分用意する

　数字カードがどこにあるか当てるゲームです。このゲームを通して「箱の上（下／右／左／中）です」の練習をします。ゲームの流れは以下の通りです。

① まずはじめに、1 から 7 までのカードを学習者に見せる。
② 数字が見えないようにカードを裏向きにして、箱の周辺（左・右・上・下・前・後・中）に置く。
③ 先生が「『3』はどこですか」と質問し、学習者は「3」のカードがどの位置にあるか当てる。
④ 位置を当てるとき、学習者は「たぶん、箱の前です」と「たぶん」を使って答える。
　　はじめのうちは、「箱の右か、箱の左か、箱の上です」などと先生がヒントを与えながら進めるとよい。
⑤ 正解が出たら、カードをめくって表の数字を見せる。正解のカードを表向きにしたままカード当てを続けていくと、正解しやすくなる。

　このゲームで大切なことは、学習者がそのカードがどこに置かれているか知りたい、当てたいという気持ちを持ってゲームに集中することです。グループ対抗にして得点制にしたり、罰ゲームを用意したりすると、いっそうワクワクします。また、先生が「残念！ 違います」「そうです！」などと反応して、先生自身が楽しんでいる様子を見せることも大切です。

　また、ユニット 12 では、ユニット 4 で学習した「～はどこですか」「(場所)です」を使ってやりとりを行います。同じ意味を持つ文として「～はどこにありますか／(場所)にあります」がありますが、ユニット 12 ではあえて使いません。位置のことばを覚えるのが大変な上に、Task 2 で紹介される「(場所)に何がありますか。」「～があります」と文の形が極めて近いため、学習者が混乱する可能性が高いからです。学習者に余裕がある場合は、**2** でこの文の形を紹介してもいいでしょう。

　この活動のもうひとつの目的は、「たぶん」を使って推量しながらゲームを行うことです。一般に日本語教育では、「～と思います」という複文を使って推量を述べることが多いようですが、この段階の学習者が複文を使ってコミュニケーションできるようになるまでには、かなりの学習時間が必要です。

　しかし、実際の生活で推量を述べる機会は多いので、本書ではこの段階で「たぶん」を使った推量表現を学習します。ごく早い時期に自分が推量したことを伝えられるようになれば、コミュニケーションの幅が一気に広がるはずです。ここでは以下のように、自然な流れの中で「たぶん」を使って推量を述べる練習をします。

T：「3」はどこですか。
S1：箱の前です。
T：本当に？ 100 パーセント？
S1：？
　　（T は p. 150 の Grammar 4 を読むように促す）
S1：たぶん、箱の前です。

T：残念！違います。
S2：たぶん、箱の後ろです。
T：そうです！箱の後ろです。（箱の後ろのカードをめくり、数字「3」を見せる）

ゲームのやり方がわかったら、テキストの Ex. を読んで会話の流れを確認してから、学習者同士でゲームを楽しみます。

2 絵の中の数字を探しましょう (p. 139)

いまの活動を振り返ります。テキストのイラストを見ながら、(1)〜(4)の下線部に答えを書きます。書くことによって文の形を確認します。

余裕のあるクラスの場合は、同じ意味を持つ文「〜はどこにありますか／(〜は)[場所]〜にあります」をここで紹介してもいいでしょう。

Task 2　なにが ありますか　Nani ga arimasu ka (What's there?)

1 Tryout 先生の言う通りに数字カードを置きましょう。それから、先生の質問に答えましょう
(p. 140)　12-5

教材 *箱、*数字カードまたはトランプ（1から7まで）　※学習者の人数分用意する

「その場所に何があるのか」を伝えるためのゲームです。このゲームを通して「(場所)に〜があります」を練習します。ゲームを始める前に、Grammar 1 (p. 150) を読んで、主語が助詞「が」によってマークされることを学習者に意識させます。次に指示文を読んで、ゲームの内容を理解します。ゲームの流れは以下の通りです。

① 各学習者の机の上にひとつずつ箱を置き、1から7までの数字カードを1セットずつ配る。
② 学習者は、先生の指示に従って、数字カードを箱の周りに配置する。
　　（TはSと同じ向きに立つ）
　　T：箱の右に「3」を置いてください。
　　（Sは「3」を箱の右に置く。Tも自分の箱の右に「3」を置く）
　　T：箱の左に「5」を置いてください。
　　（Sは「5」を箱の左に置く。Tも自分の箱の右に「5」を置く）
　　（以下、同様に続ける）
③ 指示をしながら先生も一緒に自分のカードを並べる。先生が並べたカードは、学習者から見えないようについ立てを置くなどして隠しておく。
④ カードをすべて置いたら、学習者同士でカードの配置を確認する。
　　T：箱の右に何がありますか。（Tが「Q: Hako no migi ni nani ga arimasu ka.」と板書する）
　　S：「3」があります。（Tが「A: 3 ga arimasu.」と板書する）
　　T：じゃ、みなさんでどうぞ。（板書したQとAを示し、S同士で答え合わせの続きをするように促す）
　　S1：箱の左に何がありますか。

Part 2　各ユニットの進め方

> S2：「5」があります。箱の中に何がありますか。…（続ける）
> ⑤ 学習者同士でカードの配置を確認し終わったら、先生はつい立てをはずしてカードの配置を見せ、正解を示す。

このゲームで大切なことは、学習者が「その場所に何のカードがあるか」に興味を持ってやりとりをすることです。それが「（場所）に何がありますか」という文の形を体験的に覚えることにつながります。

2　絵を見て質問に答えましょう (p. 140)

いまの活動を振り返ります。テキストのイラストを見ながら、(1)〜(6)の下線部に答えを書きます。書くことによって文の形を確認します。

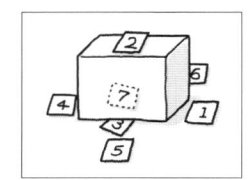

Task 3　ちずを かいてください　Chizu o kaite kudasai (Please draw a map)

Words and Phrases for the Task (p. 141)

教材 町のイラスト、*指示棒

この活動でよく使うことばと表現を学びます。

▶ 単語　🔊 12-6

町のイラストをボードに貼り、先生が「町」「道」などと言いながら、その場所を指示棒で指し示します。一通り紹介したら、今度は学習者が指示棒を持ち、先生の言った場所を指し示します。

新しいことばに慣れたら、テキストを開いて日本語と絵をマッチングし、正しく覚えたかどうか確認します。

▶ 表現　🔊 12-7

先生が「交番の隣」「交番の前」「交番の近く」などと言いながら、町のイラストのその場所を指示棒で示します。一通り紹介したら、今度は学習者が指示棒を持ち、先生の言った場所を指し示します。「前」「後ろ」は既習ですが、「隣」「近く」はここで初めて学びます。

最後にテキストを開いて日本語と英語をマッチングし、正しく覚えたかどうか確認します。

1　先生の家への道順を聞きましょう (p. 142)

先生が最寄り駅から自分の家までの行き方を、地図をかきながら説明します。

> T：ここに○○駅があります。（○○駅をかく）
> T：ここに道があります。（○○駅の前に道をかく）
> T：ここに交差点があります。（道の先に交差点をかく）
> T：ここにスーパーがあります。（交差点の先にスーパーをかく）
> T：わたしのうちは…？（ちょっと間を置いて、学習者にどこにうちがあるか考えさせる）
> T：ここです。このスーパーの後ろにあります。（スーパーの後ろにうちをかく）

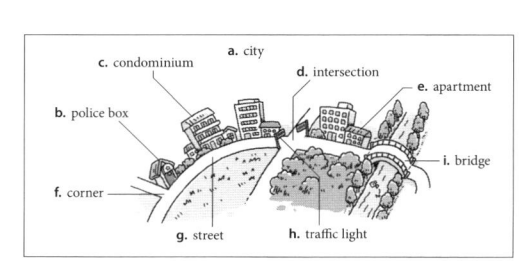

わたしの そだった まち　Unit 12

2 岡田さんの家の道順を聞いて、空欄を埋めましょう (p.142) 🔊 12-8

　岡田さんのかいた地図①〜⑤を見ながら、CDを聞いて①〜⑤の空欄を埋めます。その後、学習者同士で岡田さんとペンさんの会話練習をします。①〜④は駅や交差点の配置を説明しているので、「ここ（場所）に〜があります」という文の形を使っていますが、⑤では岡田さんの家（いま探しているもの）について話しているので、「私のうちはここ（場所）です」を使っていることに注意しましょう。「（私のうちは）この〜の前／後ろ／隣です」と、ランドマークとうちとの位置関係を説明することができれば、訪ねてくる人にとって目印になります。

3 あなたはうちでパーティーをします。駅からあなたのうちまでの行き方を、地図をかいて説明しましょう（あなたはAさんです）(p.143)

　駅から自分のうちまでの行き方を説明します。**2**の岡田さんのように実際に地図をかきながら、ひとつずつ順に説明していきます。この活動の目的は、地図をかきながら説明する、つまり同時に2つのことをすることによって、新しく学んだ日本語の自動化を図ることにあります。道順を説明するのにことばが足りない場合は、ページの下に紹介されている「Facilities/Buildings/Shops（施設／建物／店）」の単語リストから選びます。

Task 4　えきに いきたいんですが… *Eki ni ikitai-n-desu ga...* (I would like to go to the station, but . . .)

Phrases for the Task (p.144) 🔊 12-9

教材　ことばカード（日本語）、ことばカード（英語）

　日本語と英語のことばカードをボードに貼って、この活動で必要となる表現を確認します。人に道順をたずねるときは、「〜に行きたいです」より「〜に行きたいんですが…」を使ったほうが好ましいこと、「いま、どこですか」によって地図上の自分の位置を確認できること、「どこですか」ではなく「どっちですか」によって明確な方向が聞き出せることについて、Grammar 5 (p.151)を読んで理解を深めます。ことばカードはボードに貼ったままにし、次の活動の助けとします。

1 Tryout あなたは友だちの家に行く途中で、道に迷ってしまいました (p.144)

教材　コママンガ、*○○駅のサイン、*○○駅周辺の地図（駅名は学習者になじみのあるものがよい）

　道に迷って人に道順をたずね、目的地にたどり着く過程を、できるだけリアルに体験します。教室のどこかに「○○駅」と書いた紙を貼って、目的地がわかるようにしておきます。
　まず、学習者が指示文を読んで状況を理解したら、活動に入ります。

> T：Sさんは○○駅に行きたいです。これは地図です。どうぞ。（Sに地図を渡す）
> 　　でも、Sさんはいまどこですか。わかりません。私はPasser-by（通行人）です。（TはSのまわりを歩く）
> S：？
> T：私に質問してください。（ボードのことばカードを見るように促す）
> S：すみません、○○駅に行きたいんですが…

> T：○○駅はここをまっすぐ行って、次の角を曲がるとコンビニがあるんです。そのまま100メートルぐらい進んで、2つ目の信号を渡るとすぐです。（ごく自然に話す）
> S：？？？
> （TはSの持っている地図を指さし、ボードのことばカードを見るように促す）
> S：いま、どこですか。（自分の地図をTに見せながら）
> T：ええっと、ちょっと待ってくださいよ……あ、いま、ここですよ。（地図のある部分を指さす）
> S：○○駅はどっちですか。
> T：あっちです。（○○駅のサインの方を指さす）
> S：近いですか。
> T：ええ、近いですよ。
> S：ありがとうございました。

先生は学習者に「あっち」の方向に歩くように促します。その後、また問題が発生します。

> T：あ、大変です。Sさんはまた道がわかりません。私はPasser-byです。質問してください。
> S：すみません、○○駅に行きたいんですが……

このようなやりとりを2〜3回繰り返して目的地に徐々に近づき、最終的に教室の「○○駅」に到着します。

道に迷うということは日常生活でよくあることですが、この段階の学習者が見知らぬ日本人に道をたずねて目的地に行き着くことは、ほとんど不可能と考えていいでしょう。例えば「〜駅はどこですか」と質問すれば、「まっすぐ行って、3つ目の交差点を右に曲がって、商店街の道を5分ぐらい進むと…」のような答えが返ってくるのが普通です。また、仮に地図を持っていたとしても、日本で道に迷ったときは、町の漢字標識がわからず、自分が地図上のどこにいるのかわからなくなっていることが多いものです。この活動を通して、日本語力が十分でなくても、ごく普通の日本人に質問して目的地にたどり着けるという自信を身に付けます。

最後にコママンガをボードに貼り、以下のようにクラスで練習します。

> T：S1さんです。（コマ1を貼り、Youの人物を指す）
> S1：すみません、○○駅に行きたいんですが……
> T：S2さんです。（コマ2、コマ3を貼り、Youの人物を指す）
> S2：いま、どこですか。　…（以下、続ける）

2 Review 会話を完成させましょう (p. 144)

下線部①〜⑤を埋めて会話を完成させ、いまの活動を振り返ります。

3 CD Simulation CDと会話をしましょう (p. 145) 12-10

CDを相手に会話をします。合図の音の後しばらくポーズがあるので、その間に学習者が話します。もう一度、同じ流れの会話を整理された形で行うことで、よりスムーズに話せるようにします。

わたしの そだった まち **Unit 12**

Task 5　うちは どこですか *Uchi wa doko desu ka* (Where is his/her house?)

Words for the Task (p. 145)　🔊 12-11

　この活動で必要となることばを学びます。ヒントやジェスチャーを使ってことばの意味を類推したり、絵カードとことばカードを使ってマッチングしたりして、新しいことばをゲーム感覚で覚えていきます。（教え方：Unit 3「Words for Tasks 4-5 and Final Task」本書 p. 42 参照）

　最後にテキストを開いて日本語と英語をマッチングし、正しくことばを覚えたかどうか確認します。

■絵を見て質問に答えましょう (p. 146)

- **Picture A**

　教材　森さんの町のイラスト、森さんのうちのイラスト

　まず、先生が森さんの町のイラストを見せながら、以下のように話しかけます。

> T：これは森さんの町です。北、南、東、西、まん中。（方位をざっと示す）

　それから、(1)～(6) の質問をしていきます（テキストは開きません）。

> T：町のまん中に何がありますか。
> S：大学があります。
> T：町の北に何がありますか。
> S：山があります。
> 　　（続ける）
> T：これは森さんのうちです。森さんのうちはどこですか。
> 　　（森さんのうちのイラストを見せ、地図のどこにあるか探すように促す）
> S：？（町の地図の中から森さんのうちを探す）
> 　　……あ！（森さんのうちは）畑の近くです。

　その後、学習者はテキストを開いて質問を読み、答えを書きます。(1)～(5) は町のレイアウトを説明しているので「（場所）に～があります」という文を使っていますが、(6) は森さんの家（いま探しているもの）について話しているので「森さんのうちは（場所）です」と答えることに注意します。

- **Picture B**

　教材　ペンさんの町のイラスト、ペンさんのうちのイラスト

　Picture A と同じように練習します。

Final Task　わたしの そだった まち　Watashi no sodatta machi (My hometown)

（あなたの育った町のプレゼンテーションをしましょう。）

1　プレゼンテーションを聞いて、質問に答えましょう (p. 147)　🔊 12-12

教材 岡田さんの町のイラスト

まず、岡田さんの町のイラストをボードに貼り、先生が以下のように話しかけます。

　　T：これは岡田さんの育った町です。どんな町ですか。CDを聞きましょう。

CDを聞いたら、先生が(1)～(6)の質問をし、学習者は口頭で答えます。わかりにくいようであれば、町のイラストを使って「まん中」「駅の近く」「山の上」などと位置を確認しながら質問します。

この活動は **3** の活動の準備段階なので、町の様子だけでなく、当時の岡田さんのエピソードも含まれています。

2　**1** で聞いたプレゼンテーションを読んでみましょう (p. 148)

1 のプレゼンテーションを、今度は読んで確認します。いままでと同じように、町のレイアウト（建物の配置）について説明するときは「(場所)に～があります」、最も大切な岡田さんのうちがどこにあるかを述べるときは「～は(場所)です（岡田さんのうちはここです。この公園の隣です）」と説明していることに注意します。

3　あなたの育った町の地図をかいて説明しましょう (p. 149)

「岡田さんの育った町」のプレゼンテーションをモデルに、自分の育った町や当時のエピソードについて、プレゼンテーション原稿を作成します。自分の町を説明するのに必要なことばは、別冊「Glossary」の「17. 位置・方位」「18. 町の施設・店・特徴」「19. 自然」を参考にしてください。

また、簡単でいいので自分の育った町の地図を作成し、発表の際に使います。クラスメートの興味も深まり、さらに楽しい活動になります。プレゼンテーションの原稿作成と練習は時間がかかるので、宿題にするといいでしょう。

わたしの そだった まち　Unit 12

Unit 12 の流れ

活動の内容	日本語	教材
Words for This Unit		
先生が言う方向を指さしたり、ことばと絵をマッチングしたりする。	位置を表すことば（上、下、右、左、前、後ろ、箱の中、箱の下）など	
Task 1　「3」は どこですか		
1 数字カードの場所を当てるゲームをする。 2 数字カードがイラストのどこにあるか探す。	Q:「3」はどこですか。 A: たぶん、箱の上です。	*箱 *数字カードまたはトランプ（1から7まで。学習者の人数分）
Task 2　なにが ありますか		
1 先生の指示通りにカードを置くゲームをする。 2 イラストを見て、ある場所に何があるか答える。	Q: 箱の上に何がありますか。 A:「2」があります。	*箱 *数字カードまたはトランプ（1から7まで。学習者の人数分）
Task 3　ちずを かいてください		
1 2 3 最寄り駅から自宅までの道順を聞いたり、地図をかいて説明したりする。	・町、道、信号、角、交差点、橋、交番、マンション、アパート ・A: 地図をかいてください。 　B: ここに〜があります。ここに〜があります。私のうちはここです。この［ランドマーク］の前です。	町のイラスト *指示棒
Task 4　えきに いきたいんですが…		
1 2 3 （「道に迷う」をリアルに体験する） 日本人に道順を聞いて、なんとか目的地にたどり着く。	・駅に行きたいんですが… ・いま、どこですか。（地図を見せて） ・どっちですか。 ・近いですか。	ことばカード（日本語） ことばカード（英語） コママンガ *○○駅のサイン *○○駅周辺の地図
Task 5　うちは どこですか		
森さん/ペンさんの町のイラストを見て、質問に答える。（Final Task の準備段階）	・海、山、川、ビーチ、森、大学、お寺、東、西、北、南、真ん中 ・Q: 町の真ん中に何がありますか。 　A: 大学があります。 ・Q: 森さんのうちはどこですか。 　A: 畑の近くです。	森さん/ペンさんの町のイラスト 森さん/ペンさんのうちのイラスト
Final Task　わたしの そだった まち		
1 CD のプレゼンテーションを聞いたり、読んだりする。 2 自分の育った町のイラスト（レイアウト）をかく。 3 プレゼンテーション原稿を作成して、町の様子や過去のエピソードをクラスで発表する。	「私の育った町は〜です。これは〜の地図です。町の真ん中に〜があります。町の南に……。町の東に……。………。 私はよく〜で〜をしました。懐かしいです。私のうちはここです。この［ランドマーク］の隣です。」 など	岡田さんの町のイラスト

*は教師が自分で準備するもの（CD-ROM には含まれていない）

Part 3

巻末資料

- 文法（Grammar）全訳
- 「すぐに使えるカードデータ」一覧

Grammar 文法全訳

Unit 1 (p.11〜12)

1. キーワード「お名前」「お国」「お仕事」に注目する

初対面のときはたいてい、どこから来たか、名前、職業に関して、様々な聞き方で質問されるものです。「お名前」「お国」「お仕事」のキーワードを聞き取ることによって、それらの質問に答えることができます。

名前 → お名前	(「あなたの名前」の丁寧な言い方)
国 → お国	(「あなたの国」の丁寧な言い方)
仕事 → お仕事	(「あなたの仕事」の丁寧な言い方)

「□●×▽お名前×▼？」が上がり口調の場合は、あなたの名前を聞いています。それに対しては、自分の名前に「です」を付けて言うだけです。「お国」「お仕事」も同じストラテジーが使えます。

Q：すみません。□●×▽お名前×▼？
A：スミスです。

Q：□●×▽お国×▼？
A：アメリカです。

Q：□●×▽お仕事×▼？
A：会社員です。

2. 他の人に質問する

他の人の名前を聞くときは、「お名前」に「は」を付けて上がり口調にするだけで質問になります。「お国は？」「お仕事は？」も同じストラテジーです。

お名前は？
お国は？
お仕事は？

「〜は？」はフルセンテンスではありませんが、自然な質問の言い方で、かつ十分に丁寧な表現です。

3. 初対面のときによく使われるその他の表現

Q：いつ日本に来ましたか。
A1：12月です。
A2：12月に来ました。

アメリカから来ました。
中国から来ました。

Q：日本はどうですか。
A1：好きです。*
A2：楽しいです。*
A3：面白いです。*

(*他の表現は「Glossary 23」参照)

4. 田中さん

「〜さん」は英語の「Mr./Mrs./Ms./Miss」にあたりますが、男性にも女性にも使え、また英語と違って名字だけにも使えます。ただし、自分自身の名前に使うことはできません。

田中さん	名字だけ
田中あきこさん	女性の名字と名前
田中あきらさん	男性の名字と名前
あきこさん／あきらさん	女性／男性の名前

5. 許可を求める／断る表現

Q：すみません。いいですか。
A1：どうぞ。
A2：すみません。ちょっと…

「すみません。いいですか。」は許可を求める表現として、例えば店で服を試着するときや公共施設で写真を撮るときなど、広範囲に使うことができます。また、許可を求められて断る場合は、「すみません。ちょっと…」を使って失礼のないように断ることができます。

Unit 2 (p.22〜23)

1. 〜は〜です

「〜は〜です」は "A is B" という意味です。

名詞A	名詞B
スミスさんは	アメリカ人です。
パウロさんは	会社員です。
(私は)	スミスです。

何について話しているか明確である場合、主語（名詞A）は一般的に省略されます。例えば、「私は

スミスです」ではなく「スミスです」と言います。特に「私」「あなた」は自然な会話では省略されるのが普通です。

2. ～は～じゃないです

「～は～じゃないです」は "A is not B" という意味です。

名詞 A	名詞 B
（私は）	日本人じゃないです。
（それは）	かばんじゃないです。
（それは）	私のじゃないです。

3. か

日本語では、文末に「か」を付けるだけで疑問文になります。「誰」「何」「いつ」「どう」などの疑問詞を使った疑問文も文末に「か」を付けるだけです。語順は変わりません。

（タンさんは）	中国人ですか。
（これは）	かばんですか。
（これは）	何ですか。
（これは）	誰の本ですか。

4. の

「の」は所有を表します。何について話しているかわかっているときは、「物」は省略されます。

所有者	物
私の	Tシャツ
田中さんの	本
私の	―
ペンさんの	―

5. これ／それ／あれ

これ	話し手の近くにあるもの
それ	聞き手の近くにあるもの
あれ	話し手・聞き手のいずれにも近くないもの

6. 何を言われているのかわかったときの便利な表現

あ、わかりました。ありがとうございます。

「あ、わかりました」の「あ、」は大切なことばです。いままでわからなかったことを誰かが教えてくれてやっといまわかった、というときに使います。この「あ、」を効果的に使うことによって、（いままではわからなかったのだということが明白になり）余計な問題を避けることができるでしょう。

Unit 3 (p. 34)

1. は

「は」は、何について話しているのかを示します（主題をマークする助詞）。

田中さんは	日本人です。
これは	かばんです。
きょうは	月曜日です。
昼休みは	12 時からです。
スーパーは	11 時までです。
会議は	12 時からですか。

2.「から」と「まで」

「から」は始まりの時点を、「まで」は終わりの時点を示します。

	10 時から
	11 時まで
	何時から
3 時から	5 時まで
何時から	何時まで

「から」「まで」は場所の起点・終点を示すときにも使うことができます（ユニット 5 参照）。

3. ね

いま言われたことを確認したい場合は、文末に「ね」を付けて上昇イントネーションにします。

10 時からですね？
11 時までですね？
午後 10 時からですね？
午前 11 時までですね？

4. Yes-No クエスチョンの答え方

Yes か No かをたずねる質問に答えるときの便利な表現です。答えが Yes の場合は「そうです」、No の場合は「違います」と言います。

Q：会議は 7 時からですか。
A1：そうです。
A2：違います。

Unit 4 (p. 47)

1. 〜はありますか

> Q：カメラ<u>は</u>あります<u>か</u>。
> A1：はい、<u>あります</u>。
> A2：いいえ、<u>ありません</u>。

2. 便利な買い物の表現

〜はどこですか

> Q：カメラはどこですか。
> A：2階です。

いくらですか

> Q：（これは）いくらですか。
> A：1,000円です。

〜をください

> （これ<u>を</u>）ください。

Unit 5 (p. 56〜57)

1. 動詞の時制

	肯定	否定
毎日	いきます	いきません
あした	いきます	いきません
きのう	いき<u>ました</u>	いき<u>ませんでした</u>

　動詞の語尾の「ます」「ません」は、「毎日」（＝習慣的な行為）と「あした」（＝将来の行為）の両方の文に使います。「ました」「ませんでした」は過去のできごとを表します。

	毎日	会社に行きます。
		会社に行き<u>ません</u>。
（私は）	あした	京都に行きます。
（ペンさんは）		京都に行き<u>ません</u>。
	きのう	京都に行き<u>ました</u>。
		京都に行き<u>ませんでした</u>。

　英語とは違って、動詞は文の主語によって変化することはありません。主語が「私」（一人称単数）でも「ペンさん」（三人称単数）でも、動詞の形は同じです。

2. 〜にいきます／かえります／きます（移動動詞）

　「行きます」「帰ります」「来ます」は「移動動詞」と呼ばれています。「に」は移動動詞に伴って使われ、その目的地を示します。

	目的地	移動動詞
（私は）	日本<u>に</u>	来ました。
	京都<u>に</u>	行きます。
	うち<u>に</u>	帰ります。

3. その他の助詞

　「に」は、他の用法として、時間表現に付いて動作が行われた時間を示します。

> 日曜日<u>に</u>　スーパーに行きます。
> 2008年<u>に</u>　日本に来ました。

　日本語の時間表現は2つに分けられます。ひとつは特定の時間を示す表現で、この場合は「に」が必要です。それに対して一般的な時間を示す表現は「に」を伴いません。

特定の時間	2008年	<u>に</u>	来ました。
	1月	<u>に</u>	来ました。
	月曜日	<u>に</u>	来ました。
	12時	<u>に</u>	来ました。
一般的な時間	去年		来ました。
	先月		来ました。
	先週		来ました。
	きのう		来ました。

　「と」は一緒に行動する人を示します。

> 友だち<u>と</u>　行きます
> 　家族<u>と</u>　行きます
> ペンさん<u>と</u>　帰ります

　「で」は手段や方法を示します。

> バス<u>で</u>　行きます
> 電車<u>で</u>　帰ります

4. 旅行の計画を立てるときの便利な表現

〜に行きたい

> Q：どこに行きたいですか。
> A：京都に行きたいです。

〜からどのぐらい

> Q：ここからどのぐらいですか。
> A1：1時間ぐらいです。
> A2：1時間半ぐらいです。

Unit 6　(p.70〜71)

1. 〜にいます（存在動詞）

「います」は存在動詞のひとつで、「〜にいます」は、人、犬、魚など、命があって動くものの存在を表します。「に」は「います」と共に使われ、「場所＋に」の形でそれが存在する場所を示します。

	場所	存在動詞
森さんは	事務所に	います。
	2階に	います。
	事務所に	いません。
	どこに	いますか。

どこにいるか質問する場合、「〜にいます」の代わりに「〜です」を使うこともできます。

> Q：森さんは　どこ　にいますか。
> 　　　　　　　　　ですか。
> A：森さんは　2階　にいます。
> 　　　　　　　　　です。

2. 会社に電話するときの大切な表現

いますか、いませんか

> 森さんはいますか、いませんか。

電話で話したい人がいるかいないかを聞き出すための表現です。この表現は直接的な質問で、明確な答えを引き出すことができますが、失礼に聞こえないように、「すみません」と一言添え、丁寧に話しかけましょう。

いつ、そちらに…？

> いつ、そちらに…？

この質問は「いつ　帰るか／来るか／行くか」など、いろいろな意味を表します。フルセンテンスではありませんが、意味は十分に伝わります。「そちら」は「そこ」の丁寧な形です。

〜ですね？

> A：あした、京都に行きます。
> B：あしたですね？
> A：3時ごろ行きます。
> B：3時ごろですね？

電話で話しているとき、自分の理解が正しいかどうか頻繁に確認したくなるでしょう。「〜ですね？」はそのようなときに便利な表現です（ユニット3「Grammar 3」参照）。

すぐ行きます

日本語では、電話の相手の場所に出向くことを言う場合、動詞は「行きます」を使います。英語の"I'm coming"のように、「来ます」を使わないように注意しましょう。

3.「お願いします」のまとめ

すでにいくつかの表現を学びましたが、「お願いします」にはいろいろな意味があります。

(1) 挨拶

よろしくお願いします。（ユニット6）

これからお世話になる人に対して、前もって感謝の気持ちを表すときに使う。

どうぞよろしくお願いします。（ユニット1）

「どうぞよろしく」は初めて会った人と挨拶するときに使う。「お願いします」があるとより丁寧になる。

(2) 依頼

ゆっくりお願いします。（ユニット2）

スピードを落としてゆっくり何かしてもらいたいときに使う、丁寧な表現。

森さん、お願いします。（ユニット6）

電話口に「森さん」を出してもらいたいときに使う。会社などの受付で「森さん」を呼び出したいときにも使うことができる。

コーヒーお願いします。(ユニット7)

レストランで料理や飲み物を注文したり、その他の依頼をするときに使う。

例) コーヒーお願いします。
　　お会計お願いします。
　　別々でお願いします。

Unit 7　(p. 83)

1.〜をたべます／のみます（動作動詞）

	目的語	動作動詞
私は	魚を	食べます。
	ミルクを	飲みます。
田中さんは	何を	食べますか。

「食べます」「飲みます」は動作動詞（動作を表す動詞）として分類されます。「を」は動作動詞と共に使われ、目的語をマークします。

「場所＋で」は「動作動詞」と共に使われる場合、その動作が起きる場所を表します。

	場所	目的語	動作動詞
	部屋で	魚を	食べます。
ペンさんは	レストランで	ミルクを	飲みます。
	どこで	魚を	食べますか。

2.「と」と「や」

「と」は "and" の意味です。名詞と名詞だけをつなぎます（文と文をつなぐことはできない）。

○ コーヒーとミルクとお茶とビール
× 食べますと飲みます
　　　　　（→ユニット8「Grammar 3. そして」参照）

「や」は "and so on" や "and others" の意味です。

(私は)	ご飯と　魚を ご飯や　魚を	食べます。
(私は)	京都と　大阪に 京都や　大阪に	行きました。

3. 誘う／誘いを受ける

Q：(いっしょに) 昼ご飯に行きませんか。
A：いいですね。行きましょう。

Q：おなかがすきました。
　　何か食べませんか。
A：いいですね。食べましょう。

誘いを断る場合は、「すみません、ちょっと…」を使います（ユニット1「Grammar 5」参照）。

4.「もう」と「まだ」

Q：もう昼ご飯を食べましたか。
A1：まだです。
A2：もう食べました。

「もう食べましたか」と聞かれ、「まだ食べていない」と答えたい場合は「まだです」と言います。「まだ食べません」は「まだ食べるつもりはない」(I will not eat yet.) という意味になるので、使わないようにしましょう。

Unit 8　(p. 92)

1.〜たいです

「〜たいです」は話し手の願望を表します。

(私は)	新聞を	読みたいです。
	沖縄に	行きたいです。
	すしを	食べたいです。
	ビールを	飲みたくないです。

「〜たいです」を作るときは、動詞から「ます」を外して「たいです」を付けます。"do not want to do" と言うときは「〜たくないです」を使います。

相手に食べ物や飲み物を勧めるとき、「食べたいですか」「飲みたいですか」は使いません。「〜はいかがですか」と言います（ユニット9「Grammar 5」参照）。

2. 語順

日本語の文の基本的な語順は以下のようになります。一般的に、日本語の語順は比較的柔軟だと言われています。

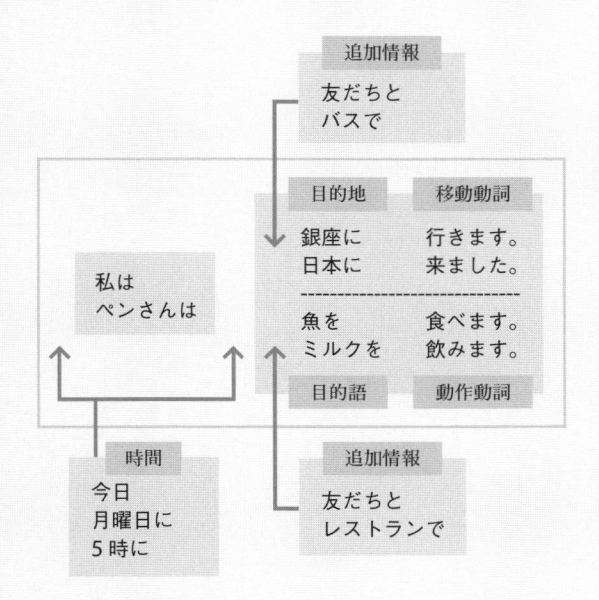

```
                    追加情報
                    友だちと
                    バスで
                       ↓
            目的地      移動動詞
            銀座に      行きます。
            日本に      来ました。
            --------------------
   私は      魚を       食べます。
   ペンさんは ミルクを    飲みます。
            目的語      動作動詞
   ↑    ↑
   時間      追加情報
   今日      友だちと
   月曜日に   レストランで
   5時に
```

3. そして

「そして」は2つの文をつなぎます（ユニット7「Grammar 2」参照）。

> 朝ご飯を食べます。そして、会社に行きます。
> 映画を見ます。そして、晩ご飯を食べます。
> 日本語の勉強をします。そして、本を読みます。

Unit 9 (p. 106〜107)

1.「い形容詞」と「な形容詞」

日本語には2種類の形容詞があります。ひとつは「い形容詞」、もうひとつは「な形容詞」です。

●い形容詞
大きい 小さい 新しい 古い 安い 高い 軽い
かわいい おもしろい かっこいい いい

★な形容詞
きれい（な） 便利（な） 元気（な） 有名（な）

2. 形容詞＋名詞

い形容詞は名詞の前にそのまま置いてその名詞を修飾することができますが、な形容詞は名詞との間に「な」が必要です。

●い形容詞＋名詞	★な形容詞＋名詞
安い　　かばん	きれいな　かばん
おいしい ケーキ	便利な　　ノート

3. 形容詞の現在形

形容詞の現在形の肯定／否定は以下のようになります。

●い形容詞（現在）	★な形容詞（現在）
安　いです	きれい　です
安　くないです	きれい　じゃないです
おいし　いです	便利　です
おいし　くないです	便利　じゃないです
*い　いです	
*よ　くないです	
*かっこい　いです	
*かっこよ　くないです	

*「いいです」の否定形（よくないです）は「よいです」（=「いいです」の旧来の形）から活用します。

4.「（名詞1）の（名詞2）」のいろいろな意味

「（名詞1）の（名詞2）」の形では、名詞2がメインの要素、名詞1が名詞2に関する詳しい情報です。「（名詞1）の（名詞2）」は、以下のようにいろいろな意味を表します。

名詞1 （詳しい情報）	名詞2 （主情報）	
ペンさん の	Tシャツ	Pen-san's T-shirt (U2)
500円 の	Tシャツ	a 500-yen T-shirt
銀座 の	本屋	a bookstore in Ginza
日本 の	テレビ	a TV made in Japan (U9)
サン銀行 の	田中さん	Mr. Tanaka of Sun Bank (U1)
さむらい映画 の	DVD	a DVD of a *samurai* worrior movie (U8)

5. 文末の「ね」を使った感嘆表現

文末の「ね」は感嘆表現に使われることがあります。その場合、「は」は普通使われません（ユニット3「Grammar 3」（確認の「ね」参照）。

感嘆表現（ほめる）
それ、きれいですね！
それ、きれいなかばんですね！

叙述する
それはきれいです。
それはきれいなかばんです。

6. 〜はいかがですか

食べ物や飲み物を勧める表現です。勧めに応じる言い方も覚えましょう。

> Q：おすしはいかがですか。
> A：おいしそうですね。ありがとうございます。
>
> Q：もっといかがですか。
> A：もうけっこうです。
>
> Q：納豆はいかがですか。
> A：すみません。納豆はちょっと……

7. 遠慮を示す

> すみません。あの……いくらですか。

誰かの持ち物の値段をたずねたいとき、「それはいくらですか」などと直接的に聞くようなことは避けてください。日本ではそのような質問は失礼になりかねません。「すみません」と「あの…」を使って遠慮を示し、「すみません。あの……いくらですか」と言いましょう。

Unit 10　(p. 120〜121)

1. 形容詞と名詞の過去形

い形容詞

	現在形	過去形
肯定	おいしいです	おいしかったです
否定	おいしくないです	おいしくなかったです

	現在形	過去形
肯定	いいです	よかったです
否定	よくないです	よくなかったです

な形容詞

	現在形	過去形
肯定	便利です	便利でした
否定	便利じゃないです	便利じゃなかったです

名詞

	現在形	過去形
肯定	休みです	休みでした
否定	休みじゃないです	休みじゃなかったです

2. 誰が

「誰がお弁当を作りましたか」のような文の中にある「誰」は、常に「が」でマークされます。「は」でマークされることはありません（「誰は」になることはない）。「誰が」の質問に対する答えにも常に「が」が使われます。

> 　　　ペンさんは　魚を　食べました。
> Q：　　　誰が　魚を　食べましたか。
> A：ペンさんが　　　食べました。

3. も

「も」は "too" "also" あるいは、否定文の "either" を意味します。

> 私は 映画を見ます。
> 山田さんも 映画を見ます。
>
> これを ください。
> それも ください。
>
> 京都に 行きます。
> 大阪にも 行きます。
>
> 私も です。

「も」を使う文にするとき、「は」と「を」はそのまま「も」に換わりますが、「に」の場合は「にも」になることに注意しましょう。

4. 動詞の過去形（復習）

	現在形	過去形
肯定	食べます	食べました
否定	食べません	食べませんでした

5. 助詞と動詞のタイプ（復習）

助詞の中には、よく一緒に使う動詞のタイプ別に覚えたほうがいいものがあります。

「に」と移動動詞（ユニット5）

「に」は移動動詞（行きます／帰ります／来ます）と共に使われ、移動の目的地をマークします。

	目的地	移動動詞
（ペンさんは）	銀座に	行きます。
	うちに	帰ります。
	日本に	来ました。

「を」と動作動詞（ユニット7・8）

「を」は、動作動詞（食べます／飲みます／聞きます／読みます／見ます、など）の目的語をマークします。

	目的語	動作動詞
（私は）	本を	読みます。
	テレビを	見ます。
	水を	飲みます。

「で」と動作動詞（ユニット7・8）

「で」は動作動詞と共に使われ、その動作が起きている場所をマークします。移動動詞と一緒に使われる「に」と混同しないように注意しましょう。

	場所	動作動詞
（私は）	部屋で	読みます。
	うちで	見ます。
	レストランで	飲みます。

Unit 11 (p. 133〜134)

1. 〜は〜が痛いです

「痛いです」は「〜は〜が痛いです」という文構造になっています。

	体の部分	
私は	頭が	痛いです。
	おなかが	
	歯が	

「は」は痛みを感じている人をマークし、「が」は痛みのある身体の部分をマークします。以下のような文は日本語では使われません。

× 私の頭は痛いです。
× 私の目は痛いです。

「痛い」は「い形容詞」なので、すでに学習した通り、以下のように活用します。

肯定	（現在）	痛い	です
	（過去）	痛かった	です
否定	（現在）	痛くない	です
	（過去）	痛くなかった	です

2. 〜ましょうか

困っている人に手助けを申し出るときは、以下のように「〜ましょうか」を使います。

薬を	持ってきましょうか。
エアコンを	付けましょうか。
タクシーを	呼びましょうか。

「〜ましょうか」に対する答え方の例です。

お願いします。
ありがとうございます。でも大丈夫です。

3. 〜んです

「〜んです」は一般的に、話し手が自分の状況を強く訴えたいときに使われます。

医者：どうしましたか。	（事実をたずねる質問）
患者：頭が痛いです。	（事実の説明）
A：どうしたんですか。	（心配している）
B：頭が痛いんです。	（含意：状況をわかってもらいたい、あなたの助けが必要だ、休みが必要だ、など）

「〜んです」は基本的に、話し手が聞き手に対して様々な理解を期待しているという含意があります。使いすぎないように気をつけます。特別に何かの意味を持たせたくない場合は、単に「〜です」を使いましょう。

また「〜んです」は、「〜たいんですが…」の形で丁寧な要求を表すことができます。

すみません、あした会社を休みたいんですが…
（含意：もしできれば、ご迷惑申し訳ありません、など）

4. 「きのうはすみませんでした」の使い方

日本人は職場で休みを取った翌日、よく「きのうはすみませんでした」と言います。この「すみませんでした」は「ありがとうございました」と同じ意味で、休みを取ったことで特に誰にも迷惑をかけていないと考えられる場合でも、同僚とよい人間関係を保つために、この表現を言ったほうがいいでしょう。同様に、病欠の後で仕事に戻ったとき、特にお世話になっていない人に対しても、日本人はよく「おかげさまで、もう大丈夫です」と挨拶します。

Unit 12 (p. 150〜151)

1. 〜に〜があります（存在動詞）

「あります」は存在動詞のひとつで、本、かばん、デパートなどのように動かないものの存在を表します（動くものに関しては、ユニット6「Grammar 1」参照）。例えば、地図をかいたり、自分のホームタウンを描写するなどレイアウト（配置）を説明するとき、「（場所）に〜があります」を使います。このとき「あります」の前には「は」ではなく「が」が使われることに注意しましょう。

位置		
ここに	交番が	あります。
山の上に	ホテルが	あります。
あそこに	何が	ありますか。

どこにあるかを質問するときは「〜はどこですか」を使います（ユニット4「Grammar 2」参照）。

Q：病院は　どこ　ですか。
A：（病院は）あそこ　です。

2. この／その／あの／どの

この	交番
その	地図
あの	山
どの	大学

場所について話すときは、「ここ」「そこ」「あそこ」が使われることに注意しましょう。「この所」「その所」などとは言いません。

3. 文末の「よ」

文末の「よ」には、話し手が聞き手に新しい情報を与えようとしている、あるいは聞き手の間違いを修正しようとしている含みがあります。

あしたは休みです。	（事実の説明）
あしたは休みですよ。	（含意：話し手は、聞き手があしたは休みじゃないと思っているだろう、と考えている）
会議は3時からです。	（事実の説明）
会議は3時からですよ。	（含意：話し手は、聞き手がそのことを知らないだろうと思っている）

4. たぶん

確信できない場合、「たぶん」を使って不確実さ（推量）を表現することができます。

たぶん	箱の中です。
たぶん	高いです。
たぶん	行きます。
たぶん	日本人です。

5. 道順をたずねるときの便利な表現

〜に行きたいんですが…

「〜に行きたいです」は単に話し手がある場所に行きたいということを表していますが、「〜に行きたいんですが…」は「行き方を教えてください」という意味を含んでいます（ユニット11「Grammar 3」参照）。

乃木坂駅に行きたいです。	（事実の説明）
乃木坂駅に行きたいんですが…	（含意：でも場所がわからないので、行き方を教えてください）

いま、どこですか。

地図を持っているのに迷ってしまったとき、地図を見せながら以下のように質問します。

Q：いま、どこですか。	（地図を見せて質問している）
A：ここです。	（地図上の位置を指し示して）

どっちですか。

「どっちですか」は「どこですか」よりシンプルな答えを引き出すことができます。

Q：どっちですか。	
A1：こっちです。	（話し手の後ろの方向）
A2：そっちです。	（聞き手の後ろの方向）
A3：あっちです。	（両者から離れた方向）

「すぐに使えるカードデータ」一覧

Unit 1

▶Task 1

p. 1

| にほん Nihon | おしごと o-shigoto | おくに o-kuni | おなまえ o-namae | きました kimashita |

p. 2

| はじめまして hajimemashite | どうぞ よろしく dōzo yoroshiku | Japan | your name | your country |

p. 3

| your occupation | How do you do? | Nice to meet you | (I) came |

▶Task 3

p. 1 (A3 サイズ)

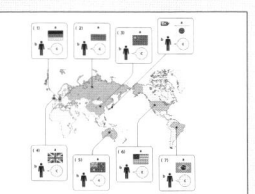

p. 2

| Nihon | Doitsu |
| Roshia | Chūgoku |

p. 3

| Igirisu | Ōsutoraria |
| Amerika | Burajiru |

▶Task 7

p. 1

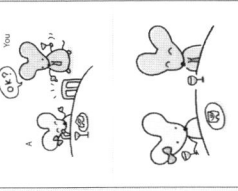

p. 2

p. 3

いいですか。
Ii desu ka.

どうぞ。
Dōzo.

すみません、ちょっと…
Sumimasen, chotto…

p. 4

May I (take this seat)?

Sure.

I'm sorry, but no.

▶Self-check

p. 1 (A3 サイズ)

Unit 2

▶Task 1

p. 1

| 日 にちようび nichi-yōbi | 月 げつようび getsu-yōbi |
| 火 かようび ka-yōbi | 水 すいようび sui-yōbi |

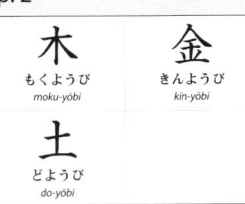

p. 2

| 木 もくようび moku-yōbi | 金 きんようび kin-yōbi |
| 土 どようび do-yōbi | |

p. 3

| Sun. | Mon. |
| Tue. | Wed. |

p. 4

| Thu. | Fri. |
| Sat. | |

▶Task 2

p. 1

p. 2

p. 3

▶Task 5

p. 1

だれの ですか。
Dare no desu ka.

これは だれの ですか。
Kore wa dare no desu ka.

わたしの です。
Watashi no desu.

Part 3 巻末資料

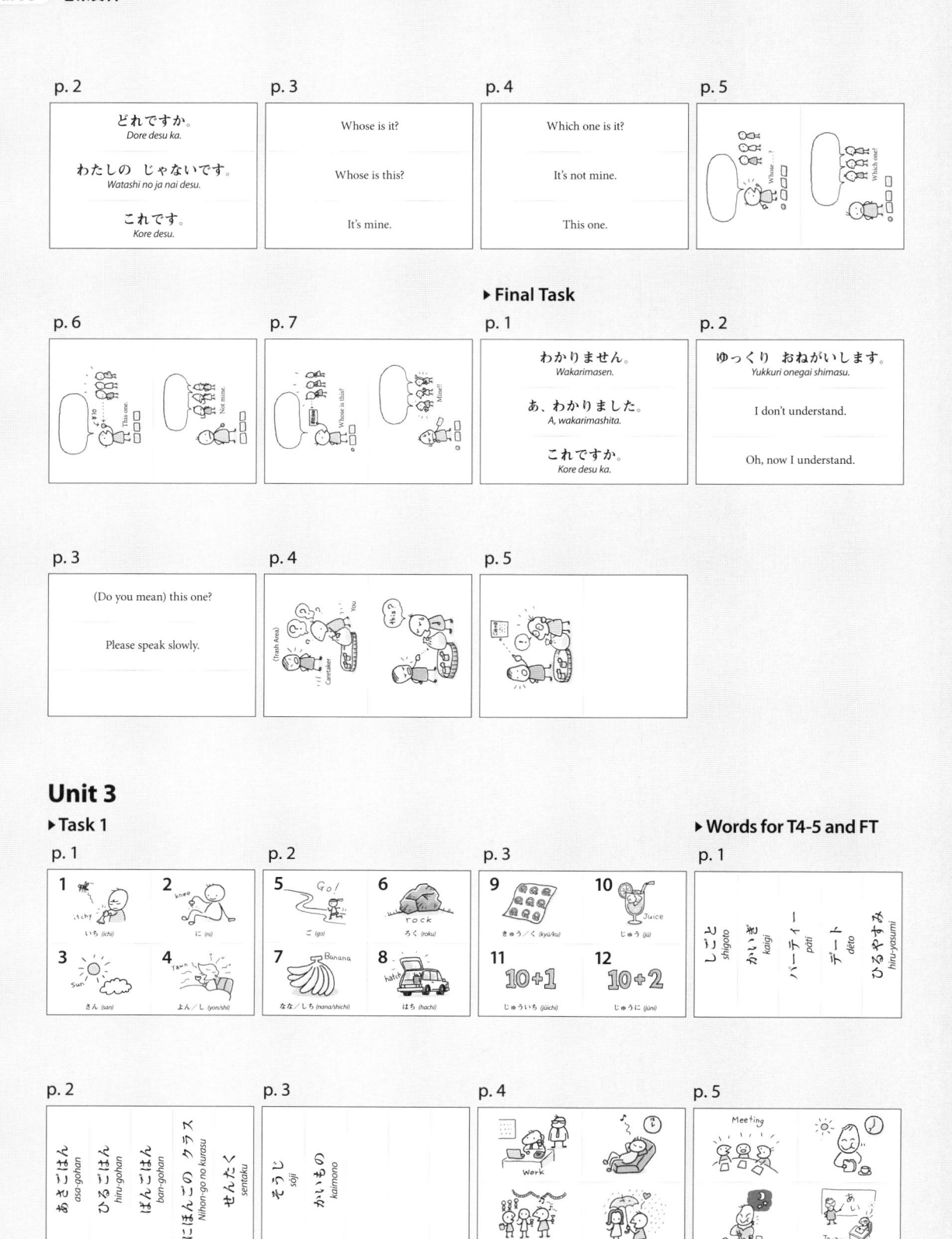

p. 2
どれですか。
Dore desu ka.

わたしの じゃないです。
Watashi no ja nai desu.

これです。
Kore desu.

p. 3
Whose is it?

Whose is this?

It's mine.

p. 4
Which one is it?

It's not mine.

This one.

p. 5
(illustration)

▶ Final Task

p. 6
(illustration)

p. 7
(illustration)

p. 1
わかりません。
Wakarimasen.

あ、わかりました。
A, wakarimashita.

これですか。
Kore desu ka.

p. 2
ゆっくり おねがいします。
Yukkuri onegai shimasu.

I don't understand.

Oh, now I understand.

p. 3
(Do you mean) this one?

Please speak slowly.

p. 4
(illustration)

p. 5
(illustration)

Unit 3

▶ Task 1　　　　　　　　　　　　　　　　　　　　▶ Words for T4-5 and FT

p. 1
1 いち (ichi)
2 に (ni)
3 さん (san)
4 よん/し (yon/shi)

p. 2
5 ご (go)
6 ろく (roku)
7 なな/しち (nana/shichi)
8 はち (hachi)

p. 3
9 きゅう/く (kyū/ku)
10 じゅう (jū)
11 じゅういち (jūichi)
12 じゅうに (jūni)

p. 1
しごと *shigoto*
かいぎ *kaigi*
パーティー *pāti*
デート *dēto*
ひるやすみ *hiru-yasumi*

p. 2
あさごはん *asa-gohan*
ひるごはん *hiru-gohan*
ばんごはん *ban-gohan*
にほんごのクラス *Nihon-go no kurasu*
せんたく *sentaku*

p. 3
そうじ *sōji*
かいもの *kaimono*

p. 4
(illustrations: Work, Party)

p. 5
(illustrations: Meeting, Japanese class)

▶ Task 4

p. 6　　　p. 1 (A3 サイズ) 　　　p. 2 (A3 サイズ) 　　　p. 3

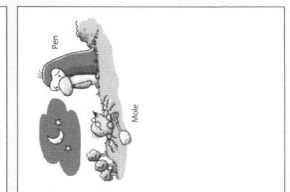

Unit 4

▶ Words for This Unit

p. 1　　　p. 2 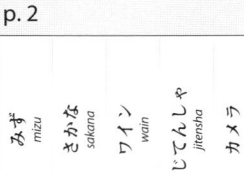　　　p. 3 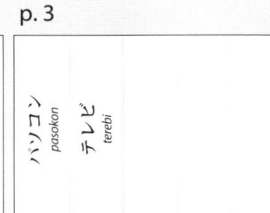　　　p. 4

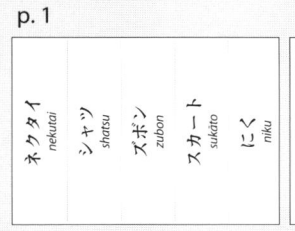

p. 5 　　　p. 6

▶ Task 3

p. 1

カメラは　あります か。
Kamera wa arimasu ka.

カメラは　どこですか。
Kamera wa doko desu ka.

（これは）いくらですか。
(Kore wa) ikura desu ka.

p. 2

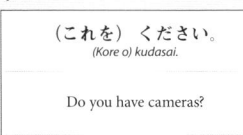

（これを）ください。
(Kore o) kudasai.

Do you have cameras?

Where are cameras?

p. 3

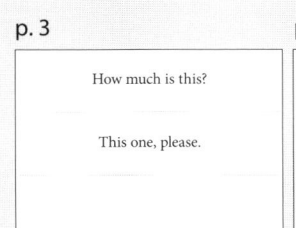

How much is this?

This one, please.

p. 4 (A3 サイズ) 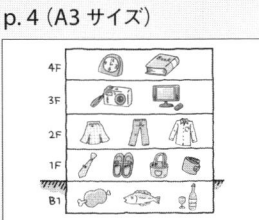　　　p. 5 　　　p. 6

p. 7

Unit 5

▶ **Words for This Unit**

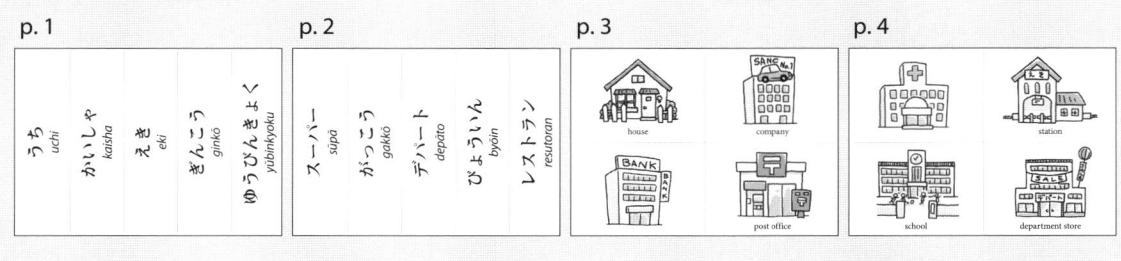

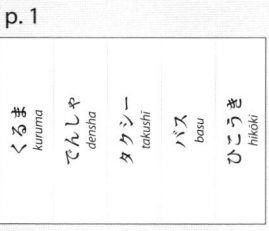

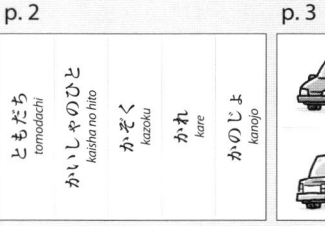

p. 1

| うち uchi | かいしゃ kaisha | えき eki | ぎんこう ginkō | ゆうびんきょく yūbinkyoku |

p. 2

| スーパー sūpā | がっこう gakkō | デパート depāto | びょういん byōin | レストラン resutoran |

p. 3

house / company / post office / BANK

p. 4

station / school / department store

▶ **Task 2**

p. 5

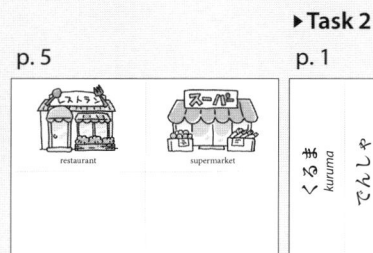

restaurant / supermarket

p. 1

| くるま kuruma | でんしゃ densha | タクシー takushī | バス basu | ひこうき hikōki |

p. 2

| ともだち tomodachi | かいしゃのひと kaisha no hito | かぞく kazoku | かれ kare | かのじょ kanojo |

p. 3

(car, train, taxi, bus images)

▶ **Task 3**

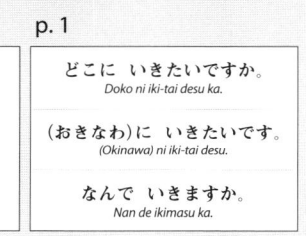

p. 1 (A3 サイズ)

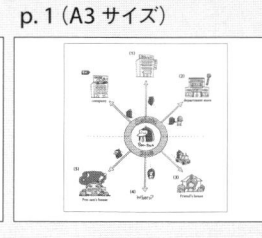

▶ **Task 4**

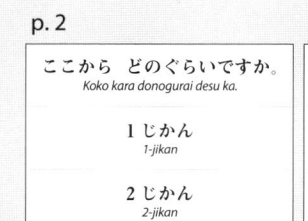

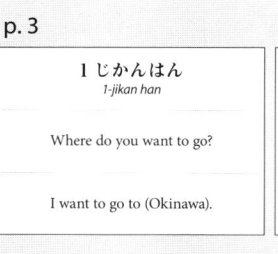

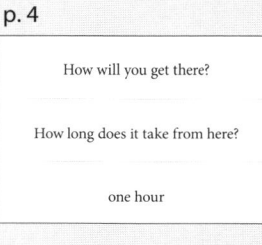

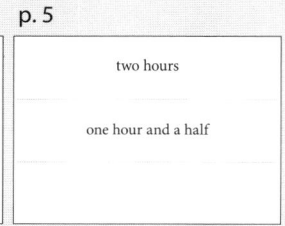

p. 1

どこに いきたいですか。
Doko ni iki-tai desu ka.

(おきなわ)に いきたいです。
(Okinawa) ni iki-tai desu.

なんで いきますか。
Nan de ikimasu ka.

p. 2

ここから どのぐらいですか。
Koko kara donogurai desu ka.

1 じかん
1-jikan

2 じかん
2-jikan

p. 3

1 じかんはん
1-jikan han

Where do you want to go?

I want to go to (Okinawa).

p. 4

How will you get there?

How long does it take from here?

one hour

p. 5

two hours

one hour and a half

▶ **Self-check**

p. 1 (A3 サイズ)

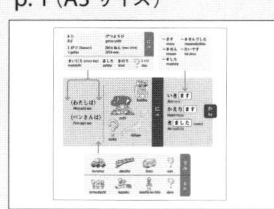

Unit 6

▶ Task 1

p. 1

shachō / hisho
Okada-san / Mori-san

p. 2

Yamada-san / Pen-san

p. 3 (A3 サイズ)

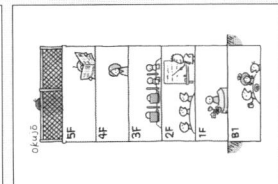

▶ Task 2

p. 1

もしもし、ペンです。
Moshi moshi, Pen desu.

もりさん おねがいします。
Mori-san onegai shimasu.

もりさんは いますか、いませんか。
Mori-san wa imasu ka, imasen ka.

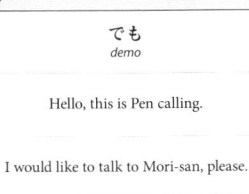

p. 2

また でんわを します。
Mata denwa o shimasu.

しつれいします。
Shitsurei shimasu.

しょうしょう おまちください。
Shōshō o-machi kudasai.

p. 3

でも
demo

Hello, this is Pen calling.

I would like to talk to Mori-san, please.

p. 4

Good-bye. [polite]

I will call him/her again.

Hold on, please. [polite]

p. 5

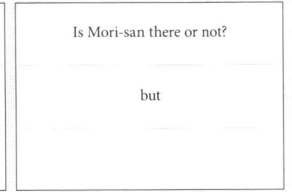

Is Mori-san there or not?

but

▶ Task 3

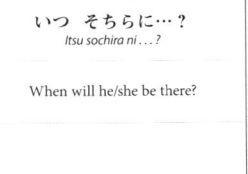

p. 1 (A3 サイズ)

p. 2

いつ そちらに…?
Itsu sochira ni ...?

When will he/she be there?

▶ Final Task

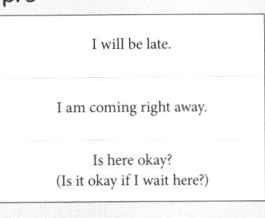

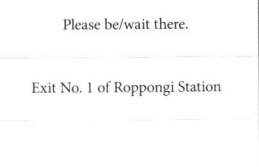

p. 1

おくれます。
Okuremasu.

すぐ いきます。
Sugu ikimasu.

ここで だいじょうぶですか。
Koko de daijōbu desu ka.

p. 2

そこに いてください。
Soko ni ite kudasai.

ろっぽんぎえき 1ばんでぐち
Roppongi-eki 1-ban deguchi

p. 3

I will be late.

I am coming right away.

Is here okay?
(Is it okay if I wait here?)

p. 4

Please be/wait there.

Exit No. 1 of Roppongi Station

p. 5

▶ Self-check

p. 1 (A3 サイズ)

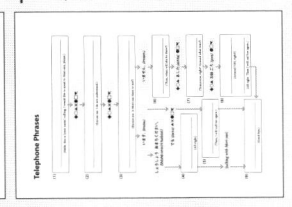

Telephone Phrases

Unit 7

▶ Words for This Unit

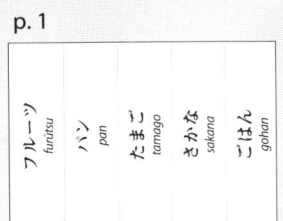

p. 1

フルーツ furūtsu
パン pan
たまご tamago
さかな sakana
ごはん gohan

p. 2

やさい yasai
ぶたにく buta-niku
ぎゅうにく gyū-niku
とりにく tori-niku
なにも nanimo

p. 3

コーヒー kōhī
ミルク miruku
おちゃ o-cha
(お)さけ (o-)sake
こうちゃ kōcha

p. 4

Part 3 巻末資料

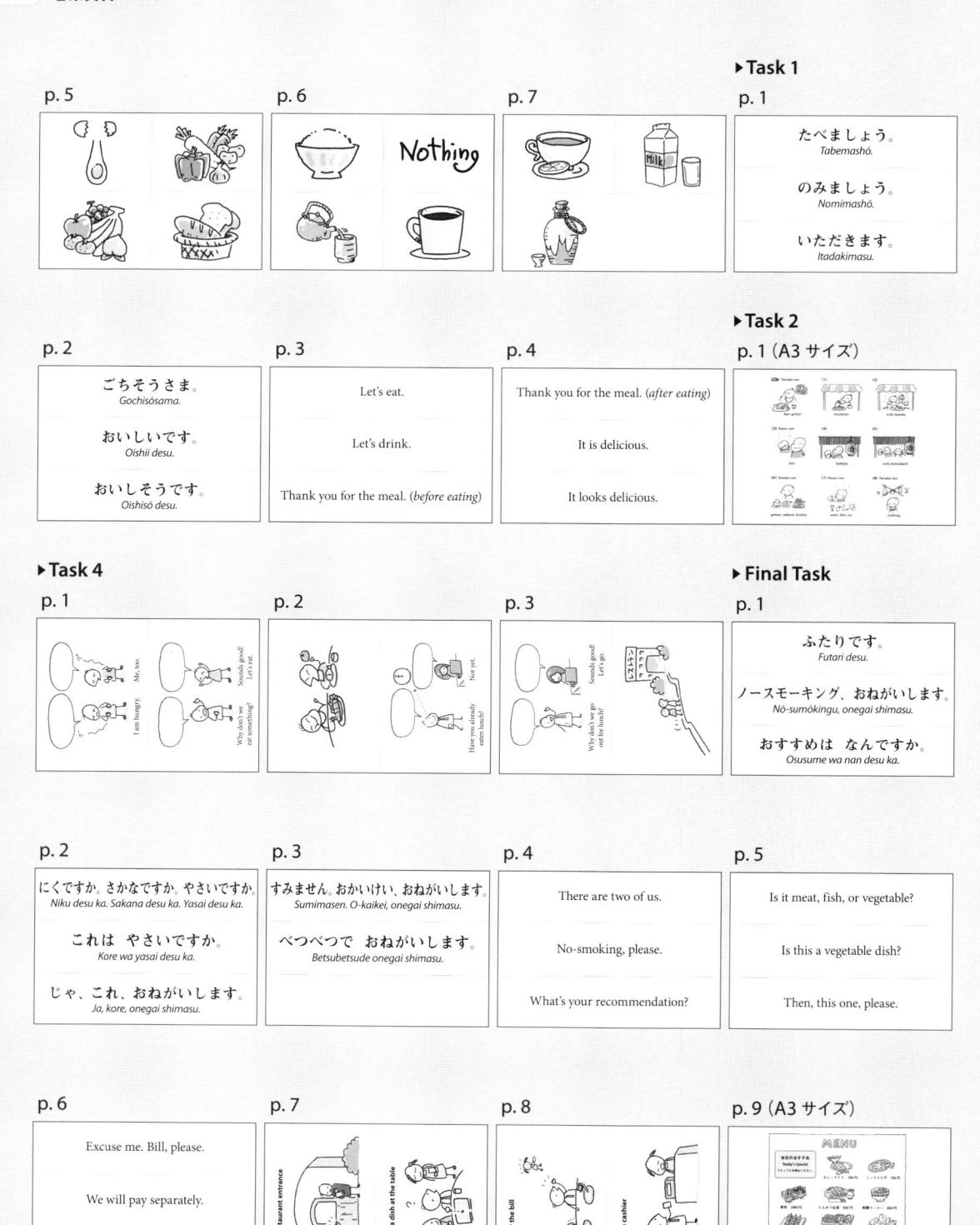

▶ Task 1

p. 5 / **p. 6** / **p. 7**

p. 1

たべましょう。
Tabemashō.

のみましょう。
Nomimashō.

いただきます。
Itadakimasu.

▶ Task 2

p. 2

ごちそうさま。
Gochisōsama.

おいしいです。
Oishii desu.

おいしそうです。
Oishisō desu.

p. 3

Let's eat.

Let's drink.

Thank you for the meal. (*before eating*)

p. 4

Thank you for the meal. (*after eating*)

It is delicious.

It looks delicious.

p. 1 (A3サイズ)

▶ Task 4

p. 1

I am hungry. / Me, too. / Why don't we eat something? / Sounds good! Let's eat.

p. 2

Have you already eaten lunch? / Not yet.

p. 3

Why don't we go out for lunch? / Sounds good! Let's go.

▶ Final Task

p. 1

ふたりです。
Futari desu.

ノースモーキング、おねがいします。
Nō-sumōkingu, onegai shimasu.

おすすめは なんですか。
Osusume wa nan desu ka.

p. 2

にくですか。さかなですか。やさいですか。
Niku desu ka. Sakana desu ka. Yasai desu ka.

これは やさいですか。
Kore wa yasai desu ka.

じゃ、これ、おねがいします。
Ja, kore, onegai shimasu.

p. 3

すみません。おかいけい、おねがいします。
Sumimasen. O-kaikei, onegai shimasu.

べつべつで おねがいします。
Betsubetsude onegai shimasu.

p. 4

There are two of us.

No-smoking, please.

What's your recommendation?

p. 5

Is it meat, fish, or vegetable?

Is this a vegetable dish?

Then, this one, please.

p. 6

Excuse me. Bill, please.

We will pay separately.

p. 7

At the restaurant entrance / Ordering a dish at the table

p. 8

Asking for the bill / Paying the cashier

p. 9 (A3サイズ)

「すぐに使えるカードデータ」一覧

▶ Self-check

p. 1（A3 サイズ）

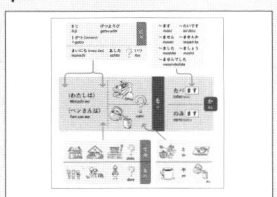

Unit 8

▶ Words for This Unit

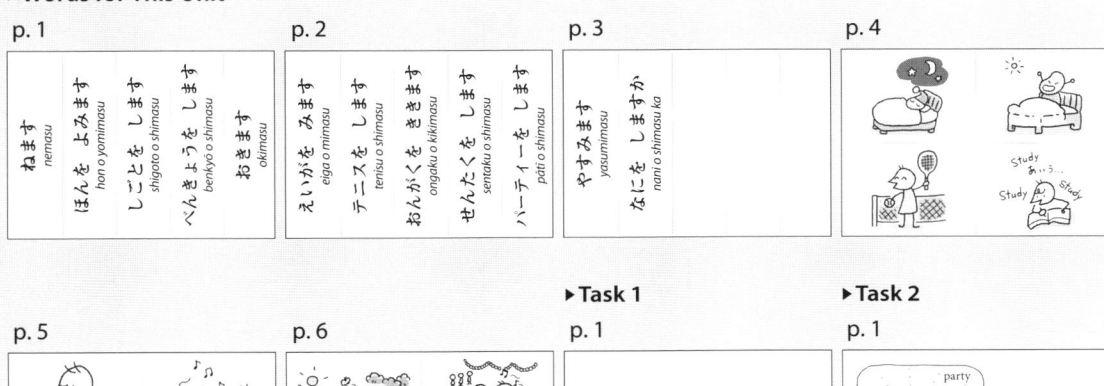

p. 1

ねます
nemasu

ほんを よみます
hon o yomimasu

しごとを します
shigoto o shimasu

べんきょうを します
benkyō o shimasu

おきます
okimasu

p. 2

えいがを みます
eiga o mimasu

テニスを します
tenisu o shimasu

おんがくを ききます
ongaku o kikimasu

せんたくを します
sentaku o shimasu

パーティーを します
pāti o shimasu

p. 3

やすみます
yasumimasu

なにを しますか
nani o shimasu ka

p. 4

p. 5

p. 6

▶ Task 1

p. 1

▶ Task 2

p. 1

▶ Task 4

p. 1

p. 2

Unit 9

▶ Task 1

p. 1

p. 2

▶ Task 3

p. 1

p. 2

139

Part 3 巻末資料

▶ Task 4

p. 3

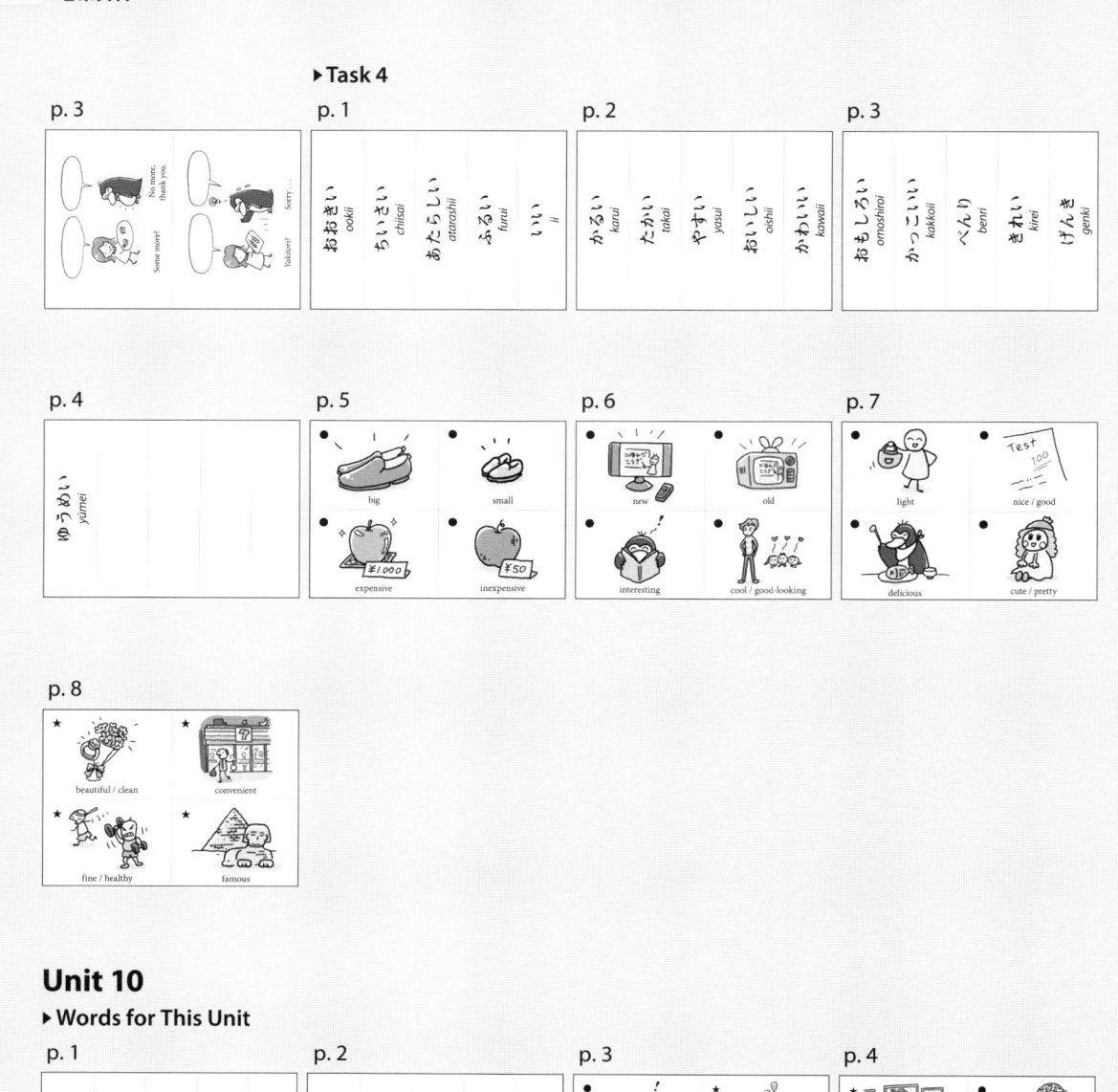

p. 1

おおきい ookii
ちいさい chiisai
あたらしい atarashii
ふるい furui
いい ii

p. 2

かるい karui
たかい takai
やすい yasui
おいしい oishii
かわいい kawaii

p. 3

おもしろい omoshiroi
かっこいい kakkoii
べんり benri
きれい kirei
げんき genki

p. 4

ゆうめい yūmei

p. 5
- big
- small
- expensive
- inexpensive

p. 6
- new
- old
- interesting
- cool / good-looking

p. 7
- light
- nice / good
- delicious
- cute / pretty

p. 8
- beautiful / clean
- convenient
- fine / healthy
- famous

Unit 10

▶ Words for This Unit

p. 1

おもしろい omoshiroi
たのしい tanoshii
つまらない tsumaranai
いそがしい isogashii
むずかしい muzukashii

p. 2

やさしい yasashii
しずか shizuka
ひま hima
にぎやか nigiyaka

p. 3
- interesting
- lively
- difficult
- busy

p. 4
- quiet
- fun / enjoyable
- easy
- boring

▶ Task 2

p. 5
- free (not busy)

p. 1
- interesting
- boring

p. 2
- easy
- difficult

p. 3
- fun / enjoyable
- boring

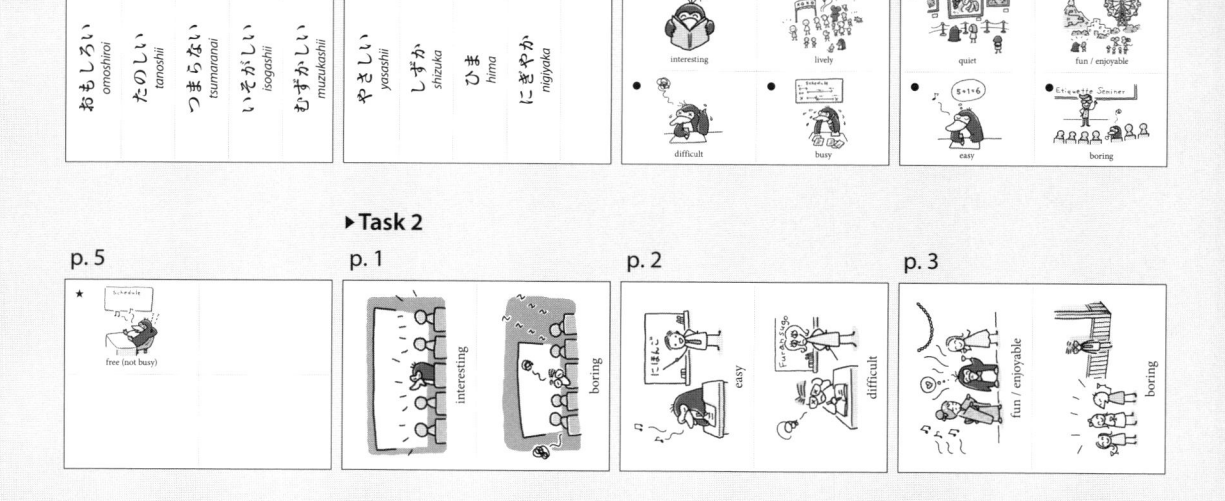

「すぐに使えるカードデータ」一覧

▶ Task 3

p. 4 — free (not busy) / busy

p. 5 — delicious / not delicious

p. 1 — かいます kaimasu / あいます aimasu / チェックします chekku shimasu / しゃしんを とります shashin o torimasu / かきます kakimasu

p. 2 — さんぽを します sanpo o shimasu / ジョギングを します jogingu o shimasu / つくります tsukurimasu / シャワーを あびます shawā o abimasu

p. 3 — kasa / repōto / kōen

p. 4 — kōen

p. 5

Unit 11

▶ Task 1

p. 1 — どうしたんですか dō shita-n-desu ka / もってきましょうか motte kimashō ka / つけましょうか tsukemashō ka / けしましょうか keshimashō ka

p. 2 — Shall I bring? / Shall I turn off? / Shall I turn on? / What is the matter?

p. 3 (A3サイズ)

▶ Task 3

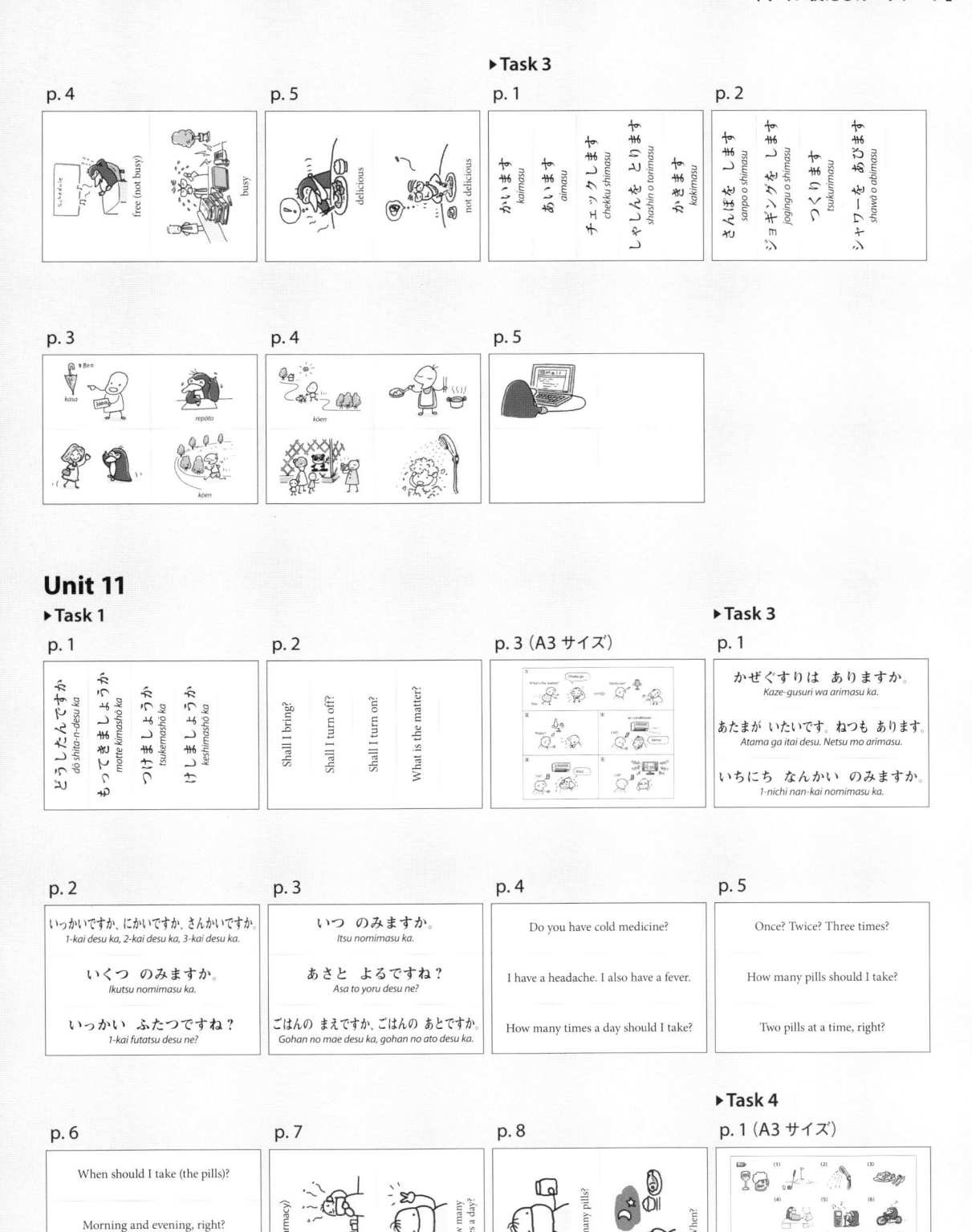

p. 1
かぜぐすりは ありますか。
Kaze-gusuri wa arimasu ka.

あたまが いたいです。ねつも あります。
Atama ga itai desu. Netsu mo arimasu.

いちにち なんかい のみますか。
1-nichi nan-kai nomimasu ka.

p. 2
いっかいですか、にかいですか、さんかいですか。
1-kai desu ka, 2-kai desu ka, 3-kai desu ka.

いくつ のみますか。
Ikutsu nomimasu ka.

いっかい ふたつですね?
1-kai futatsu desu ne?

p. 3
いつ のみますか。
Itsu nomimasu ka.

あさと よるですね?
Asa to yoru desu ne?

ごはんの まえですか、ごはんの あとですか。
Gohan no mae desu ka, gohan no ato desu ka.

p. 4
Do you have cold medicine?

I have a headache. I also have a fever.

How many times a day should I take?

p. 5
Once? Twice? Three times?

How many pills should I take?

Two pills at a time, right?

p. 6
When should I take (the pills)?

Morning and evening, right?

Before meals or after meals?

p. 7 — ⟨Pharmacy⟩ / How many times a day?

p. 8 — How many pills? / When?

▶ Task 4

p. 1 (A3サイズ) — karaoke o shimasu / sakkurīngu o shimasu

141

Part 3　巻末資料

▶ Final Task

p. 1

p. 2

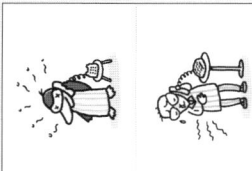

Unit 12

▶ Task 3

p. 1 (A3 サイズ)

a. city
b. police box
c. condominium
d. intersection
e. apartment
f. corner
g. street
h. traffic light
i. bridge

▶ Task 4

p. 1

えきに いきたいんですが…
Eki ni ikitai-n-desu ga . . .

いま、どこですか。
Ima, doko desu ka.

どっちですか。
Dotchi desu ka.

p. 2

ちかいですか。
Chikai desu ka.

I would like to go to station, but . . .

Where are we now?

p. 3

Which way (is it)?

Is it near?

p. 4

Passer-by
You
Nogizaka Station?

p. 5

Where am I?
Which way?

p. 6

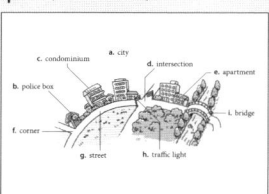

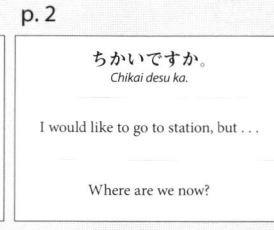

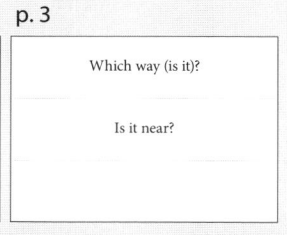

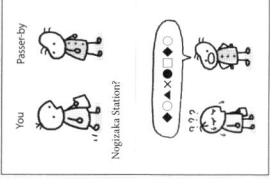

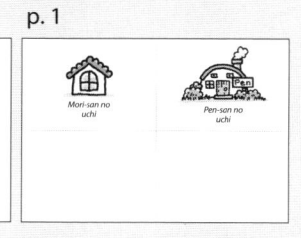

Near?
Thank you.

▶ Task 5

p. 1

Mori-san no uchi
Pen-san no uchi

p. 2 (A3 サイズ)

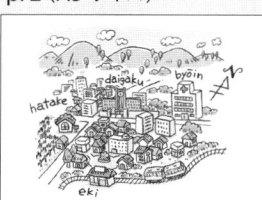

hatake, daigaku, byōin, eki

p. 3 (A3 サイズ)

resutoran, hoteru, bijutsukan, taishikan

▶ Final Task

p. 1 (A3 サイズ)

142

Strategies + Glossary

▶ **Strategy 1**
p. 1 (A3 サイズ)

▶ **Strategy 2**
p. 1 
p. 2 
p. 3 
p. 4

▶ **Strategy 7**
p. 1 
p. 2

▶ **Strategy 8**
p. 1 
p. 2 
p. 3

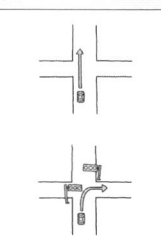

p. 4

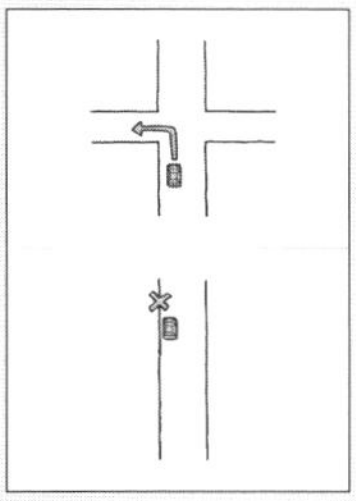

▶ **Strategy 10**
p. 1 
p. 2  
p. 3 
p. 4

p. 5 
p. 6 
p. 7

▶ **Strategy 16**
p. 1

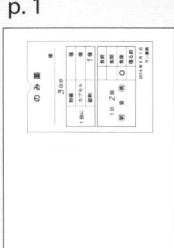

▶ **Strategy 17**
p. 1

p. 2 
p. 3 (A3 サイズ)

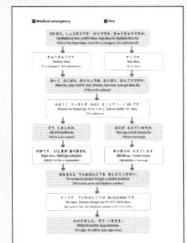

▶ **Strategy 18**
p. 1 (A3 サイズ) 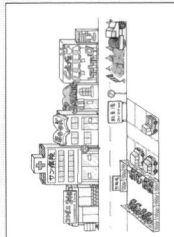
p. 2 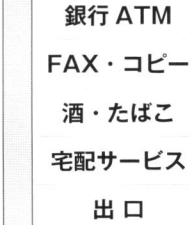
p. 3

Part 3 巻末資料

p. 4
駐輪場
自転車置き場
駐車場
立入禁止
工事中

p. 5 (A3 サイズ)

p. 6 (A3 サイズ)

p. 7
非常口
会計
受付
禁煙
女性専用車

p. 8
優先席
非常ボタン
駅
東口
西口

p. 9
南口
北口
改札

▶ Strategy 19

p. 1
店頭表示価格 462円を 半額
0564684 65464 867 4565687a
お買得
表示価格 298円 値引後価格
10%引 268円

p. 2
広告の品
国産若鶏切肉(国産) 298
ニュージーランド産牛肉シチュー用(モモ)
574

p. 3
国産牛肉 カラアゲ用
賞味期限 14.10.19

p. 4
まぜるな危険 塩素系

▶ Strategy 20

p. 1
(電子レンジ・炊飯器)

p. 2
(洗濯機)

p. 3
(リモコン)

p. 4
時間／分／秒
オーブン
レンジ
トースト
解凍

p. 5
あたため
取消
炊飯
予約
切

p. 6
保温
洗い
すすぎ
脱水
乾燥

p. 7
コース
水量
電源
切
入

p. 8
スタート
一時停止
入／切
自動
冷房

p. 9
暖房
ドライ
風量
風向
温度

p. 10
タイマー
電源
入力切換
チャンネル
音量

p. 11
録画
巻戻し
再生
早送り
停止

p. 12
決定

▶ Glossary 1

p. 1

p. 2

p. 3